*The History of Beauty*

歴史を織りなす

# 女性たちの美容文化史

［著］
ジェニー牛山
*Jenny Ushiyama*

講談社

# はじめに

このたび、西洋と日本の古代から現代までのヘア、メイク、ファッションの歴史をまとめ、皆様に紹介させていただくことになりました。

母のメイ牛山と主人のすすめもあり、三十数年前より化粧史を学びはじめ、私自身、歴史が大好きで、文章を少しずつまとめてまいりました。

それぞれの時代のファッションリーダーを「歴史を織りなす女性たち」と題して紹介させていただきます。その時代を代表する女性たちを描いていきますと、一人一人かけがえがなく、いとおしく感じます。男性とともに女性たちによって歴史はつくられていくものですね。その時代の雰囲気を感じていただければ嬉しいです。

この本が皆様のお役に立ち、また幸せを感じていただければ幸いです。

この作品をつくるにあたり、多くの皆様に感謝の気持ちでいっぱいです。

青木英夫先生をはじめ諸先生方に化粧史、服飾史を学ばせていただき、それをもとにこの本をつくることができました。本当にありがとうございました。ご協力いただきました田中侑子さま、平間和美さま、講談社サイエンティフィクの堀恭子さまに心より御礼申し上げます。

最後に、この本をつくることをすすめ、いつも励ましてくれた主人に心より感謝をこめて……

ジェニー牛山

緑のしげる夏の日に

# THE HISTORY OF BEAUTY

# CONTENTS

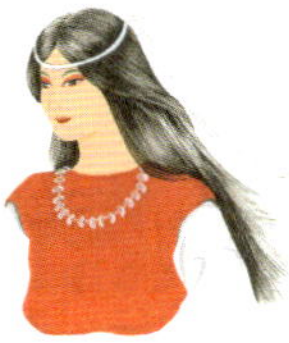

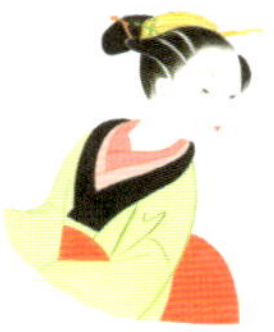

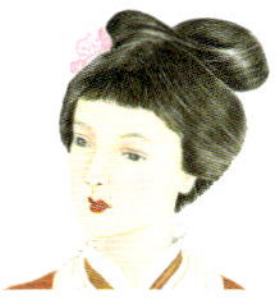



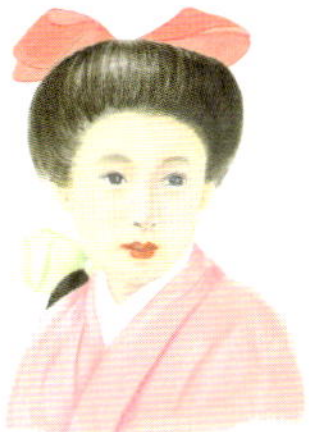

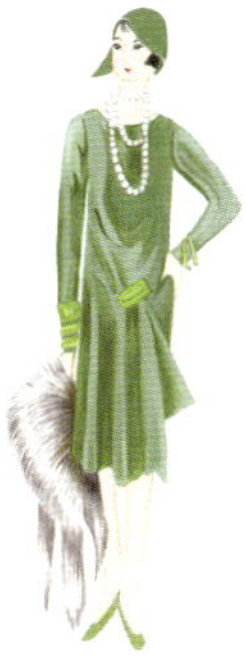

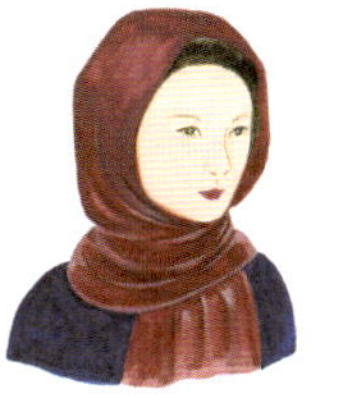

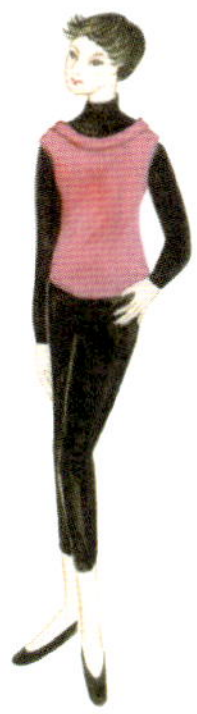

イラスト◉田中侑子
編集協力◉平間和美

本書の人物名においては敬称を略しています。

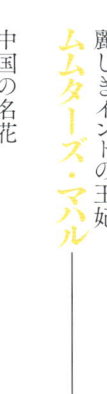

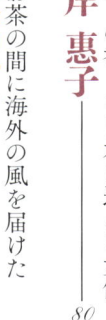

THE HISTORY OF BEAUTY 01

# 古代エジプト最後のファラオ
# クレオパトラ七世

CLEOPATRA VII

古代の女性の中でクレオパトラほど、広く世に知られている人はいないでしょう。絶世《ぜっせい》の美女として有名なクレオパトラ七世（紀元前六十九年～紀元前三十年）は、古代エジプト・プトレマイオス王朝最後の女王でした。

〝クレオパトラの鼻がもう少し低かったら歴史が変わっていた〟という言葉が伝えられていますが、クレオパトラは軍人や政治家らを魅了《みりょう》し、治世《ちせい》に利用したともいわれています。

クレオパトラと三頭政治《さんとうせいじ》の一頭、アントニウスが出会ったのは紀元前四十一年、小アジアの東の果ての地、タルソスでした。クレオパトラが用意したタルソス行きの船は、紅《あか》い帆《ほ》を張り、船尾《せんび》は黄金で飾られ、櫂《かい》は銀でした。漕手《こぎて》たちは笙《しょう》と琴《こと》を伴奏とした笛の音に合わせて漕ぎ、クレオパトラは美しく着飾って、金糸《きんし》の刺繍《ししゅう》が施《ほどこ》された天蓋《てんがい》の下に座っていました。それはまるで絵に描いたアフロディア（最高の美神）のようでした。傍《そば》にはアフロディアのおつきのエロスの姿をした子どもや女神を思わせる侍女《じじょ》たちがはべり、薫香《くんこう》の香りが漂《ただよ》っていました。

アントニウスはクレオパトラに圧倒《あっとう》され、たちまち心を奪われてしまいますが、彼の心をとらえたクレオパトラの魅力とは、一体どのようなものだったのでしょうか。著述家《ちょじゅつか》プルタークが著《あらわ》した『プルターク英雄伝』には、「彼女は人と交際する時には相手をそらさない魅力があった。その会話には説得力があるので、彼女の姿かたちも同席している人々の心に浸み込んでいき、鋭い印象を残した。さらに彼女の声は甘美なムードがあり、多絃楽器《たげんがっき》のように、巧《たく》みに数ヶ国語を使いこなすことができた」とあり、容貌《ようぼう》だけではなく、知性や優雅さといった内面の美しさも備えた女性だったことを伝えています。

さてクレオパトラの時代は、どのようなお化粧やおしゃれをしていたのでしょうか。当時のエジプト人はとてもきれい好きで、肌を清め、肌を柔らかくするために香油《こうゆ》や軟膏《なんこう》を塗っていました。そしてこれらにはさまざまな香りをつけていました。また、肌を彩色《さいしき》するために顔料《がんりょう》や染料を用い、女性は肌を黄土色《おうどいろ》にして、明るく見せていました。

メイクのポイントはアイメイクで、コールという粉末を銀やガラスのスティックを使ってつけました。コールの原料は緑黄色《りょくおうしょく》の銅鉱石《どうこうせき》やアンチモン（銀白色《ぎんはくしょく》の半金属《はんきんぞく》）で、アイラインには黒や灰色がかった緑色を、アイシャドーには緑や淡《あわ》い緑青色《ろくしょういろ》を使いました。クレオパトラは眉《まゆ》とまつ毛に黒を、上まぶたには暗い青色《あおいろ》、下まぶたにはナイルグリーンを使ったといわれます。目の上のシャドーは上まぶただけに塗ることもあれば、眉まで塗ることもありました。

当時のアイメイクは、装飾を目的とするだけではなく、日光のまぶしさや砂漠のほこりから目を保護するという薬品のような役割もありました。また当時の人は、魔ものは目から入ると信じており、魔よけという意味合いもありました。〝魔もの〟というのは、蚊《か》や蝿《はえ》を指しているのではないかとする説もあるようです。

基礎化粧品も充実していてパックも行われていました。しわを取るためには香料、蠟《ろう》、新鮮なオリーブ油、くだいてひいたシプラスを牛乳に混ぜたものを六日間、顔に塗っておくとよいとされていました。

つづいてヘアスタイルとファッションについてお話しします。身分の高い女性は、髪を真ん中で分けてぴったりとかしつけ、その上に鬘《かつら》を被《かぶ》るのが通例でした。鬘は大型で風通しよくつくられ、地位の表示でもありました。最上の鬘は人間の髪でつくられましたが、木や棕櫚《しゅろ》の葉の繊維《せんい》をつかった鬘も用いられました。色は黒が好まれ、赤、青、緑やその他の色も使われました。

また、当時のエジプトのファッションはシンプルで、真っ白な布を身にまとい、華やかなアクセサリーをポイントにして、全体のバランスを整えていました。

今から二千年以上も前に、これほどまでに美しく装う方法が整っていたとは驚きです。人が美を追い求める気持ちはいつの時代も同じものなのだとしみじみと思います。

古代エジプトでは、アイメイクが化粧のポイント

エジプト新王国時代（紀元前1570年頃〜紀元前1070年頃）の「化粧料入皿」

THE HISTORY OF BEAUTY 02

# 情熱の抒情詩人 サッフォー

SAPPHO

サッフォーは、古代ギリシャ時代に活躍した抒情《じょじょう》詩人です。生没年はよくわかっていませんが、紀元前七世紀末から紀元前六世紀初め頃とされています。サッフォーは名族の娘として、エーゲ海に浮かぶレスボス島で生まれました。結婚し、女の子を授《さず》かりましたが、夫を早くに亡くし、その後は独身を通しました。また、サッフォーの詩が、少女たちの美しさをたたえ、恋い慕《した》うものが多かったことから、少女たちに囲まれて生活をしていたとも伝えられています。

サッフォーの詩は、生前から高く評価されていました。代表的なものは恋愛の詩で、情熱がそのまま感覚的に表現されています。しかし、キリスト教の隆盛《りゅうせい》とともにサッフォーの詩は、キリスト教の教えに反するものとして弾圧《だんあつ》されるようになります。彼女の作品の多くが現存しないのは、こうした背景によるものと考えられます。

さて、サッフォーが生きた時代は、どのようなメイクが行われていたのでしょうか。この時代は、白粉《おしろい》に鉛白《えんぱく》（白色顔料《はくしょくがんりょう》）が使われ、バラ色と白で肌を彩りました。紅《べに》と頬紅《ほおべに》は同じものを使っていましたが、桑《くわ》の実や海藻《かいそう》の根が原料でした。クリーム状の頬紅はバラ色というよりも褐色《かっしょく》に近いことがあり、人によっては頬骨《ほおぼね》の部分に円を描くようにして用いたようです。また、頬に紅を塗った時は、唇《くちびる》にも紅を塗るのが普通でしたが、唇だけに塗ることもありました。

眉は左右が接近し、濃いのが魅力的とされていて、黒く塗ったり、つけ眉毛《まゆげ》をつけたりしました。また、上まぶたは赤茶色で、下まぶたの目尻は翡翠《ひすい》色で影をつけました。さらに上まぶたにだけ緑色でアイラインを長く引きました。

ギリシャの貴婦人たちは、朝起きるとすぐに入浴してマヨナラ（マジョラム〈ハーブ〉）の花やブドウの花からとった香料を全身に振りかけ、練油《ねりあぶら》や水油を体にすり込みました。髪は男女ともにブロンドが好まれました。喜劇作家のメナンドロスは、髪を金色にするために、次のような工夫がなされていたと記しています。

「太陽光線は私たちが知っている中で、いちばん髪の色を明るく見せてくれる。ここアテネでつくられた特製軟膏《なんこう》を髪にすり込んで洗い落とした後、何時間も無帽《むぼう》で太陽の下に座り、髪の色が黄金色になるのを待つ」と。

ヘアスタイルはどうだったのでしょうか。古代ギリシャでは、額《ひたい》は広いよりも狭いほうが美しいと考えられていました。そのため、額にかぶせるようにして前髪を結《ゆ》いました。初期のギリシャ女性は、髪を肩の上に下ろし、紀元前七世紀から紀元前六世紀に至るまで、バンドやリボン、あるいは王冠式《おうかんしき》の帯、真珠《しんじゅ》を通した紐《ひも》でくくっているだけでした。そして髪を真ん中で分けてウエーブをつけ、耳を出して後ろに引いていました。また、三、四本の房毛《ふさげ》や螺旋状《らせんじょう》のカールを前に垂《た》らしたり、後ろに流したりしました。

古代ギリシャの典型的なヘアスタイルは、ウエーブした髪を真ん中で分け、リボンを二、三回巻いて後ろでアップにしたものです。リボンの代わりに数珠玉《じゅずだま》やガラス玉を糸でつないで用いることもありました。また、ブロードという帯状の布を、冠《かんむり》のように頭に巻きつけてピンで留めるスタイルも見られました。サッフォーもこうしたアップスタイルをしていたことでしょう。このヘアスタイルは、紀元前五世紀の壺《つぼ》にも描かれています（下イラスト参照）。また、髪にウエーブをつける時には、油や香料をつけ、特殊な泥《どろ》、さまざまなポマード、軟膏が使われました。そして金、白、赤の髪粉や髪染め、入れ毛も使われていました。

その当時流行ったメイクとブロードで束ねたヘアスタイル

次に女性のファッションについてお話ししましょう。基本スタイルは、ドーリア風のペプロス（丈の長い衣服）で、紀元前六世紀のはじめまで用いられていました。幅約一八三センチの紡毛織物《ぼうもうおりもの》を身長プラス約四十六センチほど用意し、布の上端を折って踝《くるぶし》までの長さにします。それを半分に折って体を包み、両肩をピンで留めて着用します。ドレープつきマントのようなもので、ベルトなしで着用されることもありました。

粘土製化粧壺（紀元前5世紀）。ブロードを巻きつけた髪型が描かれている

神々が織りなすギリシャ神話の世界には、だれもが一度は憧《あこが》れるのではないでしょうか。サッフォーは実在した人物ですが、彼女が生きた時代に思いを馳《は》せると、優雅で想像力豊かな世界が目に浮かんできます。

THE HISTORY OF BEAUTY 03

# 古代ローマの美容のパイオニア ポッパエア・サビナ

POPPAEA SABINA

ポッパエア・サビナ（三三年〜六五年）は、暴君《ぼうくん》として知られるローマ帝国第五代皇帝ネロ（三七年〜六八年）の二人目の妻だった女性です。ポッパエアは、男性を魅惑《みわく》するような妖艶《ようえん》さをもった美女でした。そして美容に対する関心が非常に高く、独自の美容法も取り入れて、美しさに磨きをかけていました。美容のためにロバのミルクのお風呂に入っていた話は有名で、入浴後は、白亜《はくあ》（白墨《はくぼく》のようなもの）と有害な鉛白《えんぱく》を肌に塗って、色白に見せていました。

ポッパエアは、五百頭の牝ロバを飼い、旅行する時も五十頭の牝ロバを連れて行ったそうです。ロバのミルクはシワを取り、色白でキメ細かな肌を保つのに効果があります。彼女は、独自のフェイス・パックも行っていました。夜、麦のひき割り粉を湿《しめ》らせて香りづけしたパック剤を顔に塗り、翌朝、乾いて固くなったのをロバのミルクで洗い落とすという方法です。これは現在、私たちが使っている酵素《こうそ》のパックと同様の原理で、ロバのミルクに含まれている酵素を利用して美白をしていたのでしょう。

彼女は唇《くちびる》や頬《ほお》を赤くするために、ヒバマタという海藻《かいそう》からとった赤や紫がかった色素を使っていました。そして、まつ毛や眉《まゆ》、まぶたを黒くするためにアンチモン（銀白色の石のような固体）を用いたり、静脈を描くのに青い顔料を使っていました。また古い記録によれば、爪《つめ》は龍《りゅう》の血に羊の脂《あぶら》を混ぜたもので染め、そばかすの脱色にはひき割り粉のペーストとレモンの絞り汁を用い、吹出物には大麦粉とバターを用いたということです。そして歯を白くするために軽《かる》石《いし》を、後れ毛には脱毛剤を、髪の脱色には後世にヘシアン・ソープと呼ばれたものを用いました。

古代ローマ時代の紅《べに》は通常バラ色で、紫色の染料と白亜土《はくあど》を混ぜ合わせたものを沈殿《ちんでん》させてつくりました。眉は左右が接近した状態を美しいとし、アンチモン、鉛《なまり》、または煤《すす》からつくったもので描きました。化粧はすぐに崩《くず》れてしまったようですが、この化粧法は古代ローマの女性たちの間に大変な勢いで普及《ふきゅう》していきました。なお、古代ローマでは男性も化粧をしていて、暴君ネロも例外ではありませんでした。

つづいて当時の貴婦人たちの日常生活についてお話ししましょう。彼女たちは何人もの待女《じじょ》に囲まれ、午前中いっぱいをおしゃれに費《つい》しました。古代ローマ時代の風刺《ふうし》詩人ユウェナリスによると、待女たちは二十人いて、貴婦人は威《い》厳《げん》をもって腰をおろし、待女たちは夫人に気に入られるように、うやうやしくかしずいていたということです。待女たちにはそれぞれ専門があり、入浴後のマッサージ係、皮膚の手入れ係、マニキュアとペディキュア係、髪にブラシをかける係、髪を櫛梳《くしけず》り、時々黄金の粉をかけて髪を光らせ、アイロンでウエーブをつける係、眉と髪の毛を彩る係、香料で香りをつける係、顔

ロバのミルクのお風呂をはじめ、贅《ぜい》を尽くした美容法を実践していたポッパエア

に白粉《おしろい》を塗る係、手鏡を捧《ささ》げ持つ係、うちわであおぐ係、そして、これらの侍女を監督する係、衣装《いしょう》係などに分れていました。

髪は金髪や黒髪が理想とされ、この頃の貴婦人たちはキプロス・カール（古代ギリシャの女性が用いていた前髪用の鬘《かつら》）で顔のまわりを飾るなどしてフェイスラインを整え、美しさを強調していました。古代ローマ時代の初期の女性の髪型はギリシャ風の素朴なものでしたが、帝政期に入ると次第に派手になり、高さのある髪型が好まれるようになりました。

この頃の女性の衣服はギリシャの形に非常に似ています。帝政期のストラ（女性用の長く軽い衣服）は木綿《もめん》やシルクでつくられ、ギリシャの原型よりもずっと広い布地を使ったものでした。身分の高い婦人は、後ろに非常に長く裾《すそ》を引いたものを着用しました。そしてバストの下やヒップの部分を、宝石と刺繍《ししゅう》をあしらったベルトで締めました。ストラ自体も色鮮《いろあざ》やかな刺繍が施《ほどこ》されていて、フリンジ（ふさ飾り、縁《ふち》飾り）がついていたり、裾に細かいプリーツがありました。通常は袖がついていて、両脇は縫《ぬ》い合わされているか、ギリシャ風に等間隔《とうかんかく》に留め金で留めてありました。色は黄色やグレーがかった青、白、赤、グリーンといったものでした。

古代ローマ時代の貴婦人たちは、実に優雅で贅沢《ぜいたく》な生活をしていたのですね。二十人の侍女にかしずかれて美容を施されるという体験を、一度はしてみたいと思わずにはいられません。

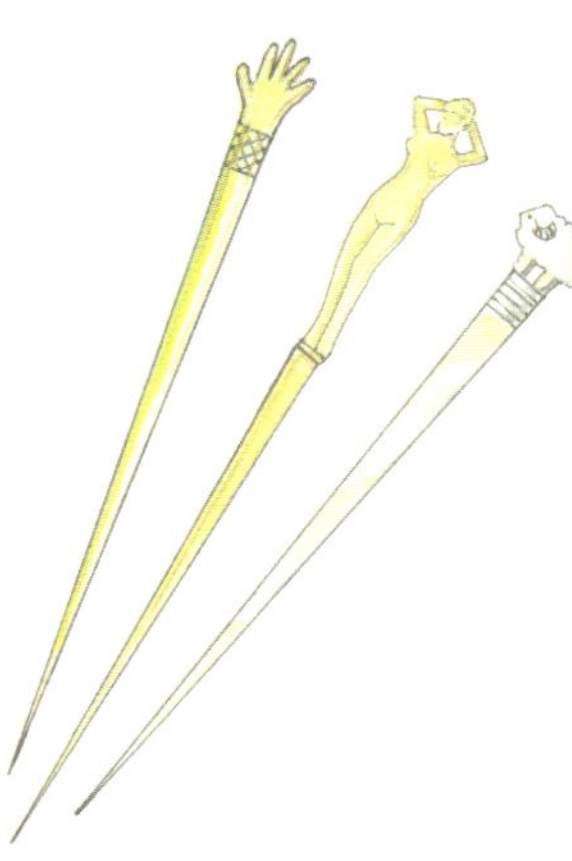

金や象牙でつくった古代ローマ時代のヘアピン

THE HISTORY OF BEAUTY 04

# おしゃれを楽しんだフランス王妃 イザボー・ド・バヴィエール

ISABEAU DE BAVIÈRE

イザボー・ド・バヴィエールはフランス国王シャルル六世（一三六八年～一四二二年）の妃《きさき》で、気まぐれなおしゃれを楽しんだ女性でした。

イザボーは、一三七〇年頃、バイエルン公シュテファン三世の公女として生まれました。一三八五年にフランス国王シャルル六世と結婚し、没年は一四三五年と伝わっています。彼女は王妃として十二人の子どもを授《さず》かったといわれ、きっと生命力にあふれた魅力的な女性だったことでしょう。それは彼女の美に対する熱意からも伺《うかが》い知ることができます。

イザボーは、侍女《じじょ》たちを従えてロバのミルクを満たしたお風呂に入り、さらに蒸風呂《むしぶろ》で数時間過ごしました。その後、長椅子《ながいす》に横たわって侍女が捧《ささ》げ持つ鏡《かがみ》に向かいながら、肌を白く塗らせたり、眉《まゆ》を黒く描かせたり、髪の手入れをさせたりしました。髪の色はその時の気分でブロンドにしたり、黒くしたりしましたが、当時は赤毛は好まれなかったようで、赤毛にはしなかったようです。

イザボーは、ワニの糞《ふん》や猪《いのしし》の脳味噌《のうみそ》、狼《おおかみ》の血を植物性の油に混ぜたものを原料とした化粧品を愛用しました。当時この化粧品には、若返りの効果があると信じられていたからです。このように彼女は独自の化粧品を用いるなど、おしゃれには相当な贅沢《ぜいたく》をしていました。

さて中世のフランスの髪型についてお話ししましょう。十三世紀には、髪を両耳の上でまとめ、ヘアネットを被《かぶ》せる髪型がはじまります。上流階級の女性は黄金の糸を用いたバンドや宝石をあしらった黄金のコロネット（小型の冠《かんむり》）で頭を飾りました。そして十四世紀中頃からは、額《ひたい》の生え際《はえぎわ》の毛を剃《そ》ったり抜きとったりして、額を広く見せることが流行《はや》りはじめます。十五世紀になると、上流階級の女性の被りものとして、装飾的で豪華なトーク帽（筒型《つつがた》の帽子《ぼうし》）が用いられるようになりました。また、装飾的なヘアネットに詰めものをして、角のような形に左右に張り出す髪型（エスコフィオン）も考案されました。

次にお化粧についてお話ししましょう。ヨーロッパでは十二世紀末から化粧が盛んに行われるようになりました。これは十字軍の度重《たびかさ》なる遠征《えんせい》によってオリエンタル文化が伝播したことが影響していて、お化粧がカラフルになり、化粧品や香料の輸入も盛んになりました。フランスではバラ色が好まれ、生き生きとした色を出すために、さまざまな染料の化粧品を用いたということです。

一方、イギリスでは、蒼白《あおじろ》い肌が上品で美しいとされたため、女性は血を抜いたり、食事をしては浣腸《かんちょう》をするなどして、わざわざ不健康な顔色にしたそうです。そのため白粉《おしろい》も真っ白とグレーが用いられていました。生気のない顔を美しいとする感覚は、現代人の私たちには理解しがたいものがあります。

十三世紀のフランスの詩人リシャール・ド・フルニヴァルは、ブロンドの女性の髪の毛を黄金の糸に喩《たと》え、その目は鷹《たか》の目、まつ毛は茶色で弓なり、口は小さく庭のバラのように赤く、歯は白く、手はヒマの実より美しく、その爪《つめ》は繊細《せんさい》でまっすぐである、と記しています。これは中世の女性の理想像を表現したもので、フランスだけではなくイタリアやドイツでも、このような女性像が理想とされていました。

つづいてファッションについてお話ししましょう。十四世紀は女性モードの確立期といわれており、ファッションの歴史の中で大きな変化があった時期といえます。この時代に初めて、男性と女性の衣服のデザインがはっきりと区別されるようになり、男性は男らしさを強調する服装になりました。そして女性は、ほっそりとして、小さく、くっきりした顔、しとやかに裾《すそ》を引く優美さを理想とするようになり、体のラインに合わせた衣装《いしょう》（ボディ・コンシャス）が喜ばれるようになります。

中世は約千年続きましたが、今なお史実が明らかになっていない部分も多く、神秘的《しんぴてき》で謎《なぞ》の多い時代です。

史料を眺《なが》めていると、現代人の私たちには理解しがたいような史実を数多く見出すことができ、興味が尽きません。

中世のヘアスタイルにし、冠を被ったイザボー・ド・バヴィエール

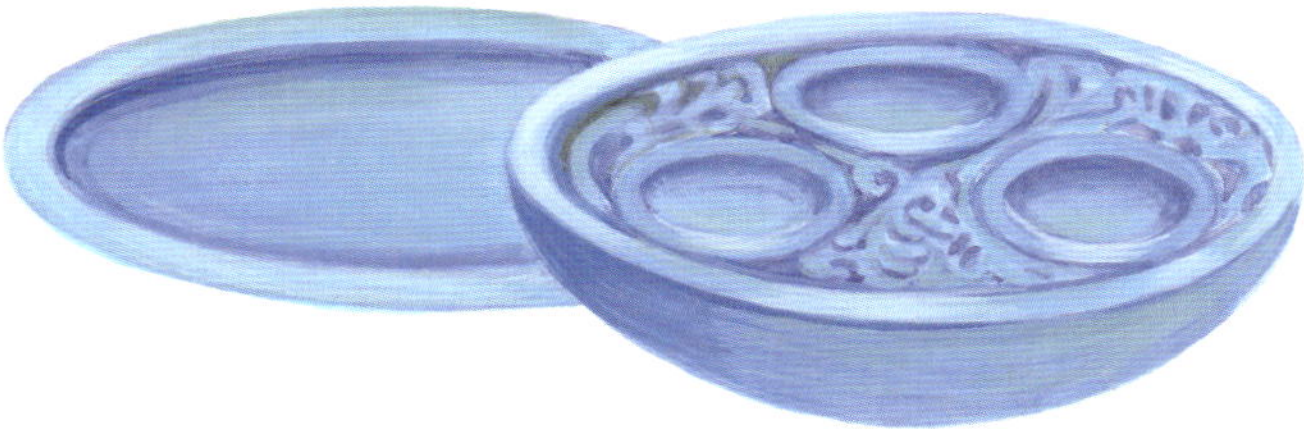

13世紀～14世紀の蓋《ふた》つきの化粧箱。陶器製で、彫刻が施されている

THE HISTORY OF BEAUTY *05*

# 近代スペインの母 イザベル一世

ISABELLE I

イザベル一世は一四五一年、カスティリャ＝レオン王国の王フアン二世の長女として生まれました。イサベル一世はカスティリャの女王（在位一四七四年〜一五〇四年）でしたが、隣《りん》国《ごく》アラゴンのフェルナンド二世との結婚によって、アラゴンとカスティリャの二国の連合を実現し、近代スペイン成立の端緒《たんしょ》を開きました。彼女は王権の強化を内政の主眼《しゅがん》に据《す》え、唯一の信仰に根ざした国内統一を強力に進めて、のちのカトリック・スペイン形成の方向を決定づけた名女王でした。

イザベル一世は中肉中背《ちゅうにくちゅうぜい》、色白《いろじろ》で金髪碧眼《きんぱつへきがん》、堂々たる威信《いしん》を保ちながら、快活で温かみのある女王であったと史料に記されています。マドリードの国立図書館に、画家マドラーソによって描かれた若き日のイサベル一世像が残されていますが、スペインを近代国家へと導いた女王にふさわしく、品格と威厳《いげん》をたたえた、聡明《そうめい》で慈愛《じあい》に満ちた女性として描かれています。

イサベル一世は美しいヴェールと王冠《おうかん》を被《かぶ》っていますが、中世にこのようなヴェールや被りものの美しいファッションが流行《はや》りましたので、これらについてお話ししましょう。

中世を通して女性の髪型は、真ん中分けにして編むことが一般的でした。その上を被りものでおおい、髪と被りものによってヘア・ファッションがつくられました。

十三世紀には髪を耳の上でまとめ、それを網《あみ》で包む髪型がはじまります。この網を〝クリスピン〟と呼び、網を用いた髪型を〝コール〟と呼びました。

十四世紀の初期には〝エスコフィオン〟と呼ばれる被りものが現れます。形は、左右に伸びる角形《つのがた》や教会の尖塔《せんとう》のような形をしていました。この頃から額《ひたい》を広く見せるために生《は》え際《ぎわ》の毛を剃《そ》ったり抜いたりし、美しい広い額には髪を垂《た》らさないのが好まれるようになりました。角形の被りものをする場合は、髪を編んで耳の上に高く巻きつけ、ヴェールを被りました。この角形スタイルは、徐々に奇抜なスタイルに変化していきました。

もうひとつの代表的な被りものにエナン（バーガンディアンフード）があります。次ページのイラストをご覧ください。この被りものはドイツのバーガンディーの宮廷で初めて被られ、次第にヨーロッパの国々に広がっていきました。十五世紀頃の被りものには、上流女性の権威の象徴としての意味合いもありました。そうしたことも影響してか、時が経つに従い高さを増し、華やかになっていきました。しまいには高さが六十センチにも及ぶほどでした。

エナンという言葉はもともと〝角《つの》〟という意味ですが、被りもののエナンは円錐形《えんすいけい》の針金をフレームにして、長い柔らかなヴェールでおおったものでした。エナンは、次の三つの種類がありました。

①プティ・エナン（先が尖《とが》っていない）

②グランド・エナン（祭日用のヴェールがついている）

③エナン・アラ・ボワール（帆《ほ》のようなヴェールがついている）

グランド・エナンのヴェールは床までとどいたので、歩くときは持ち上げなければなりませんでした。また被る部分が大形でしたので、ドアを通るのが大変だったということです。

髪をヴェールでおおい、王冠を被るイザベル一世

このように被りもので髪をおおうスタイルが流行した背景には、キリスト教の禁欲主義的な考え方があります。つまり女性の魅力のひとつである美しい髪を被りものでおおい、男性の目に触れないようにすることが求められていたのです。

また視点を変え、建築様式との関係を見ていくとおもしろいことに気づきます。つまり、とがった被りものが現れたのは、この時代のゴシック様式の特徴である鋭角的な塔などの影響によるものです。被りものがこのように尖ってきますと、バランスからいってもドレスも裾の長いドレッシーなものが似合うため、この時代は裾《すそ》をひいた優雅なドレスが流行したのでしょう。

このように建築様式とファッションは、時代や地域を問わず、互いに関連し合い、バランスがとれているものです。また、私の母、メイ牛山は、その土地土地の空の色や海の色、草花の色や形といった自然の造形を意識して、それに合うファッション、バランスのとれたおしゃれをすることが大切だと、いつも私に話していました。まさにそのとおりですね。

中世ヨーロッパで大流行した被りもの〝エナン〟を被った女性（左）

THE HISTORY OF BEAUTY *06*

# イタリア・ルネサンス期の麗人
# シモネッタ・ヴェスプッチ

SIMONETTA CATTANEO VESPUCCI

シモネッタ・ヴェスプッチは一四五三年、イタリアに生まれました。シモネッタは〝フィレンツェ一の美女〟とたたえられ、イタリア・ルネサンス期を代表する画家レオナルド・ダ・ヴィンチやサンドロ・ボッティチェッリの作品のモデルにもなりました。

彼女が生きた時代は、イタリア・ルネサンスのただなかでした。ルネサンスという言葉を直訳すると〝再生〟という意味になりますが、十四世紀から十六世紀にかけて、イタリアを中心にしてヨーロッパに興《おこ》った〝古典古代の文化を復興しよう〟という歴史的文化革命、あるいは運動のことをいいます。つまり、キリスト教の広がりとともに封じ込められていた古代ギリシャ・ローマの文化を再認識し、高めていこうという時代でした。

ルネサンスの時代、イタリアは芸術、科学、政治などの分野において、ヨーロッパの中心でした。当時、フィレンツェで活躍していた画家ピエロ・ディ・コジモ（一四六二年頃〜一五二一年）が、次ページに掲げたシモネッタの肖像画を描いていますので、そちらを見ながら、当時の美容文化についてお話ししましょう。

この肖像画は、蛇《へび》に喉《のど》をかませて自害《じがい》したクレオパトラとイメージを重ね合わせて描いている部分がありますが、これは別として、髪型や眉《まゆ》の整《ととの》え方などについてはルネサンス期の特徴を見ることができます。まずヘアですが、額《ひたい》を強調するために髪を後ろにとかしつけ、それを編《あ》んで美しくアレンジし、真珠《しんじゅ》や宝石で飾っています。そして額は、生《は》え際《ぎわ》を毛抜きで抜くか、剃《そ》るなどして広く見せています。また、眉も毛抜きで抜いて薄くしています。

ルネサンス期になると、ヨーロッパの女性たちは髪をおおう被《かぶ》りものを捨て、豊かな髪を見せるようになりました。つまり、禁欲的《きんよくてき》なスタイルからの脱却《だっきゃく》です。女性の美の象徴のひとつである髪を見せるようになったのです。髪全体を最初に出しはじめたのがイタリアの女性たちでした。髪をカールさせて上部に高くまとめ上げ、その上を黄色い絹の布で飾りつけて金色の紐《ひも》で結《ゆ》わえた髪型が流行《はや》りました。

さて、この頃の理想とされた美人像について記した史料が残っているのでご紹介しましょう。修道士であり著述家《ちょじゅつか》でもあるフィレンツォーラが一五四八年に著した『女性の美に関する対話』という本です。ここには、次のように記されています。

「頬《ほお》は色白であることが望ましい。色白というのは、色が白くて象牙《ぞうげ》のような輝きがあることをいう。髪は光り輝く太陽光線を思わせるようなものがよい。額は広々として、明るく輝きのある白でなければならない。眉の形はほとんどわからぬほど上へカーブし、こめかみのところから目尻はすとんと落ちているのがよい。眉は漆黒色《しっこくいろ》、瞳《ひとみ》は暗褐色《あんかっしょく》か栗色《くりいろ》が優しそうなまなざしになる。鼻はほどよい大きさで幅広いより細いほうがよく、口は小さく中ぐらいの唇《くちびる》、色は朱色《しゅいろ》がよい」と。そしてフィレンツォーラは、他の聖職者たちと同様に、「人工的な補正化粧は我慢《がまん》ならない忌《い》まわしい行為である」と考えていました。

絶世の美女シモネッタ。髪に布を当てて編んだ髪をのせ、ピンで留めている

　このように禁欲的な雰囲気が色濃く残っていた時代ではありましたが、女性たちは窮屈《きゅうくつ》なスタイルをやめ、さまざまな化粧品を手に入れて、美しく装《よそお》いはじめました。古くから交易が行われていたヴェネチアでは、最新の化粧法を習ったり試したりする目的の会までつくられていたほどです。

　次にヘアカラーについてお話しします。イタリアのおしゃれの中心はヴェネチアで、女性たちは髪を当時の理想の色、ブロンドにするために、毎週一、二回ずつビオンダという薬品を髪に塗っていました。ビオンダは、イタリア語で〝ブロンド〟という意味をもつ〝biondi〟からきていて、その薬で美しい髪色となった髪は、〝ヴェネチア風のブロンド〟と呼ばれました。右のイラストは、ビオンダを塗った髪をテラスで乾かしている様子です。女性が被っているつばの広い麦わら帽子《ぼうし》はソラーナと呼ばれるつばだけのもので、髪を日光と風に当てて乾かし、顔を日焼けから護《まも》るように考えられた被りものでしたが、長時間、日光浴をして体調を崩《くず》してしまった女性もいたそうです。

　ルネサンス期の女性たちは、美しくなるために、あらゆる努力をしていたのですね。この頃のおしゃれを見ていると、禁欲的な時代から解放された喜びのようなものが感じられます。

髪を金色にするためにビオンダを髪に塗り、日光浴をする女性

THE HISTORY OF BEAUTY 07

# フランスにイタリア文化をもたらした カトリーヌ・ド・メディシス

CATHERINE DE MÉDICIS

カトリーヌ・ド・メディシス（一五一九年〜一五八九年）は、イタリアのウルビーノ公ロレンツォ二世・デ・メディチの娘として、フィレンツェで生まれました。一五三三年にフランスの第二王子オルレアン公アンリと結婚し、のちにアンリ二世として即位《そくい》したのに伴《ともな》って、王妃《おうひ》となりました。

カトリーヌは、フランス文化の発展に大きく貢献《こうけん》しました。いまでこそ文化の香り高いフランスですが、十六世紀には洗練された文化はなく、先進文化の中心はイタリアでした。カトリーヌはそうしたフランスにイタリアのファッションやフィレンツェ料理を持ち込み、新風を吹き込みました。そして当時、手づかみで食事をしていたフランス人に、カトラリー（フォークやナイフ等の金物食器）とテーブルマナーを伝授しました。このほか、シャーベットやリキュール、パラソル、香水、仮装舞踏会《かそうぶとうかい》などをフランスにもたらしたのも彼女だったと伝えられています。

カトリーヌは大の香水好きでした。フランスに嫁《とつ》いだ時には、フィレンツェからルネという香水の専門家を連れてきて、香粧品をつくらせたり、南仏のグラースという町で、バラやジャスミンといった香料植物の栽培《さいばい》をさせていました。グラースは現在も香料産業の核となっていますが、私の兄は若い頃、グラースにある香料メーカーのシャラボー社で、二年間、調香《ちょうこう》を学んでいました。昭和四十一年には、父と母と私とで兄のいるシャラボー社を訪問し、工場を案内してもらったことがあります。

十六世紀のイタリアでは香水が大流行し、香水をしみ込ませた匂《にお》い手袋《てぶくろ》が流行《はや》っていました。しかし一方で、毒薬《どくやく》も開発され、これもまたフランスに持ち込まれました。

次にヘアスタイルについてお話ししましょう。カトリーヌは鬘《かつら》をよく用い、いくつも持っていました。鬘には当時好まれていた灰色やブロンドの髪粉《かみこ》を振りかけていました。鬘は人毛《じんもう》が最もよいとされ、馬の尻尾《しっぽ》や山羊《やぎ》の毛なども使われました。

またカトリーヌは〝アティフェ〟という被《かぶ》りものも愛用していました。アティフェは縁《ふち》にワイヤーが入った布製の被りもので、正面から見た時に顔がハート形に見えるように立体的に形づくられ、布の角の部分を額の中央に垂《た》らすようにして被りました。またアティフェ型のヘアスタイルも流行しました。これはハート形のワイヤーフレームの上に前髪を結い上げたもので、こめかみの巻き毛が直立した角形《つのがた》になっているものもありました。

お化粧法についても同様に、イタリアから最新の方法を伝えました。この化粧法は、絵画用の材料を肌に塗る方法で、彼女自身、いつも肌を真っ白く塗り、頬紅《ほおべに》をつけていました。当時のおしゃれの先端をいっていたヴェネチアには、化粧法を習ったり試したりするサロンがありましたが、カトリーヌは、そこで新しい化粧法を伝授されても、有毒《ゆうどく》な鉛白《えんぱく》（白粉《おしろい》）を顔に塗り続けていました。そして時には化粧を落とす手間を省《はぶ》いたり、顔のしわを埋めるために重ね塗りをしました。

当時すでに化粧品の毒性については指摘がなされていましたが、それにもかかわらず白塗りをやめなかった、その固い意志、美に対するこだわりは、私たちの想像を超えるものがあります。

さて、その頃、占星術師《せんせいじゅつし》として知られていたノストラダムスは、一五六一年に『真実に顔を美しくし、顔色と体の全体を美しくする法』というイタリア風の化粧品の処方書《しょほうしょ》を発表しました。彼が書いた「昇汞《しょうこう》（美顔料《びがんりょう》）を調合する法」を読みますと、「六オンスの昇汞を水に溶《と》かし、丸一日、風の当たらない場所でゆっくり粉にする。それが小麦粉のようになったら水銀《すいぎん》

王妃カトリーヌの肖像。巨大なスカートは権威の象徴

と六グレーン（〇・三八四グラム）の銀、六ドラクマ（ドラクマは銀貨）の錫《すず》を加える。それを太陽に、〝食後の全時間〟さらし、それにスイレンの水と断食《だんじき》の時に集めた痰《たん》を加え、痰と唾《つば》を加えながら太陽にさらし続ける。続いてそれを泉の水に溶かし、〝主の祈り〟と〝アヴェ・マリア〟を二回ずつ唱《とな》える間、釉薬《ゆうやく》をかけた陶器の小さい容器の中でかき混ぜる。（中略）最後に半分ぐらいが蒸発して残ったもので顔を美しくすることができる」とあります。しかし昇汞や鉛白のような有害な化粧品のために命を落とす女性は少なくありませんでした。

ファッション関連では、金属製のコルセット（補整下着の一種）をイタリアからフランスにもたらしたことが功績のひとつといえましょう。上の肖像画で彼女が着ているドレスは金属片を使って硬くしてあり、高級な布地に刺繍《ししゅう》が施《ほどこ》され、宝石が美しく散りばめられています。

芸術を愛し、豪奢《ごうしゃ》を好んだカトリーヌは、生まれつきの容貌《ようぼう》は美人ではなかったと伝えられています。彼女は賢《かしこ》さと知恵によって魅力的な自分をつくりあげていった女性だったように思います。

THE HISTORY OF BEAUTY *08*

# 大英帝国の礎を築いた エリザベス一世

ELIZABETH I

エリザベス一世（一五三三年〜一六〇三年）は、イギリス・テューダー朝の女王で、ヘンリー八世と二番目の妃《きさき》アン・ブーリンの子として生まれました。ルネサンス新学芸の影響の下で成長した彼女は外国語が堪能《たんのう》だったほか、古典や歴史、文芸にも造詣《ぞうけい》が深く、音楽を愛好しました。また、多くの結婚話があったにもかかわらず、女王は国民と結婚したとして終世《しゅうせい》独身で通しました。彼女の治世《ちせい》はエリザベス時代として、政治的にも文化的にも近世初期のイギリスにひとつの時代を画するものでした。

エリザベス一世は、おしゃれに対する関心が高く、さまざまな逸話《いつわ》が残っています。彼女が世を治めていた頃のイギリスは、最高の繁栄に恵まれていた時代でした。そのためエリザベス一世は、七つの海を制した大国の女王にふさわしい、威厳《いげん》のあるおしゃれをしていました。荘《そう》厳華麗《ごんかれい》なドレスや宝飾品、ヘアスタイルからメイクアップ、化粧品に至るまで、肖像画を見ているだけでもため息が出てくるほどです。

ではまずお化粧法からお話ししましょう。エリザベス一世は、イタリアから流行品や化粧法をとり入れ、白粉《おしろい》を半インチ（約一・三センチ）もの厚さに塗っていたといわれています。厚化粧は、暗殺者から身を守るための手段でしたが、女王の化粧法は、そのまま貴夫人たちのお手本になりました。

十六世紀には白粉は鉛白《えんぱく》を原料とし、それに色や香料を加えました。頬紅《ほおべに》は茜《あかね》の根からつくった赤い染料レッド・オーカー（赭土《しゃど》）や、ヴァーミリオンと呼ばれる辰砂《しんしゃ》を用い、唇《くちびる》にはコチニール（洋紅染料）を卵の白身、あるいはゆで卵や未熟のイチジクの乳汁、ミョウバンやアラビアゴムなどで練《ね》ったものが用いられました。

またハルトマンは『真の保存業者』という本の中で、「エリザベス女王が使われた化粧水」の作り方を公表しています。それによると「新鮮な卵二個分の殻《から》をくだいて粉末にし、中味の卵白といっしょに一クォート瓶《びん》に入れて三時間かき混ぜる。次に焼ミョウバンの細かい粉末を四オンス加え、さらに二時間かき混ぜる。その中に白い氷砂糖の粉末三オンスを加え、同じく二時間かき混ぜる。さらに粉末の硼砂《ほうしゃ》四オンスを加えて再びかき混ぜる。製粉所の水車の下を流れる水を一パイント汲《く》み取り、その中によく砕いた白ヒナゲシの種を入れ、牛乳のようになるまでよくかき混ぜる。これを最初の混合物を入れたクォート瓶の中に注ぎ込み、二時間おきにかき混ぜ、薄手の白いリネン布でこして再び瓶に戻した後、二十三時間以上かき混ぜ続ける。指三本分の高さに泡立てば、よく混ぜ合わさったことになる。これは十二ヵ月保存できる非常に素晴《すば》らしい化粧料で、一週間に三回使用するだけで肌を色白で滑らかで柔らかにする」とあります。これだけ手間ひまをかけてつくった化粧品ならば、絶対美しくなれるという気がしてきます。また当時、肌に艶《つや》を与えるために卵白がもてはやされていたほか、母乳や牛乳で幼児を毎晩洗うと、その肌が蠟《ろう》のように美しくなり、日焼けしないと信じられていました。

　次にヘアについてお話ししましょう。この頃の女性のヘアは、フードやベールがとり除かれて髪を現すようになり、多くの美しい髪型が出現します。女性たちは豊かな髪を誇り、髪を大切にするために鬘《かつら》を被《かぶ》るようになります。そして髪粉で髪や鬘を着色するようになりました。エリザベス一世は赤毛でしたが、八十種類以上の鬘を使いこなしていました。

　豪華なドレスには、当時、大変貴重だった真《しん》珠《じゅ》や宝石をあふれるほど織り込みました。そしてエリザベスカラーと呼ばれる大きく広がった襞襟《ひだえり》を用いて顔まわりを華やかに演出し、上半身がV字形に見えるように腰を細く締め、スカート部分は硬いスカート下を用いて大きくふくらませていました。エリザベス一世の時代のこうしたファッションの特徴は、いずれも女性の魅力を引き立てるとともに、七つの海を制した大英帝国の偉大さを象徴するものでした。

　エリザベス一世は、大衆の心を捉え、大英帝国の輝やかしい歴史の幕を開いた〝善《よ》き女王ベス〟として国民に愛されていました。ファッション・リーダーとして、また、統治の象徴としての彼女のファッションは、威厳《いげん》と品格を備えたものでした。私は海外の美術館で女王の直筆の手紙を拝見したことがあるのですが、格調高くとても上品な文字だったことが思い出されます。

真珠や宝石を散りばめた豪華なドレスを身にまとうエリザベス一世

エリザベスカラーが女王の威厳と品格を
いっそう強調している

THE HISTORY OF BEAUTY 09

# 天使のように美しく愛らしい フォンタンジュ公爵夫人

DUCHESSE DE FONTANGES

フォンタンジュ（一六六一年～一六八一年）は、フランス国王ルイ十四世（在位一六四三年～一七一五年）の寵愛《ちょうあい》を受けた女性です。オルレアン公フィリップの妃《きさき》エリザベート・シャルロットの侍女《じじょ》として仕《つか》えていた時、ルイ十四世に見《み》初《そ》められて寵姫《ちょうき》となりました。そして、のちに公爵《こうしゃく》夫人の称号を授《さず》けられました。

フォンタンジュは美しい灰色がかった髪の持ち主で、その髪はほとんど銀色に見えるぐらい輝いていたということです。そして彼女は、美容文化史にひとつの足跡《そくせき》を残しています。それは、十七世紀後半から十八世紀初頭にかけて、フランスの上流階級を中心に流行した〝フォンタンジュ風ヘアスタイル〟と呼ばれる髪型を発明したことです。

ある日、ルイ十四世がフォンテーヌブローの森に狩猟《しゅりょう》に出掛けた時のことです。フォンタンジュはそれに同行しましたが、風のいたずらで髪が解《と》けてバラバラになってしまいました。その時、彼女は機転《きてん》を利《き》かせて靴下止めのリボンで髪をまとめ、花のついた枝で髪を飾りました。このヘアスタイルをルイ十四世が大変気に入られたということで、たちまち宮廷の女性たちの間に流行しました。

ところがあまりにも多くの女性がこの髪型に変えたため、ルイ十四世はこのヘアスタイルを禁じ、フォンタンジュだけがこの髪型をしていたということです。翌年、彼女は二十歳の若さでこの世を去ってしまうのですが、針金の骨組みの上に巻き毛を積み上げて高さを出したフォンタンジュ風のヘアスタイルが、大流行となりました。

さてフォンタンジュ風のヘアスタイルですが、最初はリボンで髪を結《ゆ》い上げただけの無造作《むぞうさ》なアップスタイルでした。しかし、時を経《へ》るごとにワイヤーのフレームを使って入れ毛を数段重ね、高く結い上げるようになりました。そしてその上に〝ボネ・ア・ラ・フォンタンジュ〟という髪飾りをつけて、より装飾的になっていきました。この髪飾りは固い麻布《あさぬの》やレースのフリルが重なり合い、前のほうが塔《とう》のように高くなっていて、高さが六十センチもありました。ちょうど開いた扇子《せんす》かオルガンのパイプのような形に襞《ひだ》がとってありました。

一七〇〇年頃はフォンタンジュ風のヘアの全盛期でした。この頃には、美容師によってあらゆる装飾を施《ほどこ》した新奇《しんき》なフォンタンジュ風のヘアスタイルが考案されました。二十種類ほどあったそうですが、ルイ十四世の死（一七一五年）とともに急速に姿を消していきました。

次にメイクについてお話ししましょう。十七世紀のルイ王朝では、宮廷の女性たちを中心として、唇《くちびる》や頬《ほお》に紅《べに》を用いる化粧が流行《はや》っていました。紅の原料で最もてはやされたのは辰砂《しんしゃ》という赤い鉱物で、主に頬紅《ほおべに》として使われていました。これは皮膚《ひふ》にくいこむので、一度つけるといつまでも取れなかったということです。
また同じ赤い色でも、唇にはコチニール色素を使用しました。コチニール色素は、メキシコやペルー原産のサボテンに寄生するカイガラ虫の一種を原料にした天然染料で、鮮《あざ》やかなスカーレット（オレンジがかった赤）やオレンジの色調です。これをイチジクの乳汁などで練《ね》ったものを用いていました。コチニール色素は、現在も食品や化粧品の着色料として、あるいは日本画の絵の具、友禅染《ゆうぜんぞめ》の染料としても用いられています。

特別に撮影
が許可になった
フォンタンジュ像

　この頃のおしゃれで特徴的なもののひとつに〝つけぼくろ〟があります。十七世紀に大流行しましたが、蝿《はえ》のように見えることから、フランス語ではムーシュ（蝿）、イギリスではパッチ（つぎはぎ）と呼ばれました。はじめは顔の傷《きず》やニキビ、痘痕《あばた》などを隠《かく》す目的ではじめられました。ビロードや紙の裏に貼《は》りつけ用のゴムをつけ、顔や腕、背中に貼りました。

　フランスの婦人たちは、こめかみの上の丸いムーシュやハート形のムーシュは〝品位のあるムーシュ〟、額《ひたい》に貼るのは〝威厳《いげん》のムーシュ〟、目の近くに貼るのは〝情熱的なムーシュ〟、口の傍《そば》に貼るのは〝コケットな（色っぽい）ムーシュ〟と、つける場所によってそれぞれ名前をつけて楽しんでいました。

　さて、フォンタンジュに関する記録にこんな話が残っています。リゼロッテという召使が記した言葉ですが、「彼女はとろいけれども親切で、天使のように美しい」と。無邪気でおしゃれに夢中な彼女の姿が目に浮かんでくるかのようです。この時代のファッションは、女性らしい夢のあるもので、これらのファッションからは、豊かさやゆとりが感じられます。

ガウンを着てお化粧をする17世紀の
貴婦人。ヘアはフォンタンジュ風

THE HISTORY OF BEAUTY 10

# ロココ文化を花開かせた
# ポンパドール侯爵夫人

MADAME DE POMPADOUR

　ポンパドール夫人は、フランス国王ルイ十五世（在位一七一五年〜一七七四年）の公妾《こうしょう》だった女性で、知性と教養、そして美貌《びぼう》の持ち主でした。ポンパドール夫人（一七二一年〜一七六四年）は、ブルジョワ階級の家に生まれましたが、貴族の子女たちと同等の教育を受けて育ちました。一七四一年にル・ノルマン・デティオールと結婚し、社交界の華《はな》となりますが、ほどなくして時の国王ルイ十五世の心をとらえます。そして侯爵《こうしゃく》夫人の称号を与えられ、一七四五年には、正式にルイ十五世の公妾となりました。

　ルイ十五世との出会いについては、社交の場で出会ったという説のほかに、ポンパドール夫人の作戦によるものという説もあります。それは、ポンパドール夫人がルイ十五世に取り入るために、ルイ十五世の狩場《かりば》であるフォンテーヌブローの森に馬車を走らせ、策略どおり王の目に留まり愛妾《あいしょう》として迎えられたというものです。野心家だったと伝えられる彼女らしいエピソードです。

　ポンパドール夫人は、政治に深く関与し、政治に関心の薄いルイ十五世に代わって権勢《けんせい》をふるうほど才気あふれる女性でした。また、文化、芸術の発展にも大きく貢献しました。パリ近郊の町セーヴルに王立磁器製作所を設立し、セーヴル焼の礎《いしずえ》を築いたり、ベル・ヴュー・パレスをはじめとする豪華な建築物を建てたり、ヴォルテール、エルヴェシウスら、多くの学者や芸術家の後援者となったりと、多方面で力を発揮しました。

　ポンパドール夫人が活躍していた時代はロココ様式の最盛期でした。ロココ様式は、豪壮華《ごうそうか》麗《れい》なバロックに対して、優美で繊細《せんさい》な美しさが特徴的です。

　さてこの時代の美容文化は、どのようなものだったでしょうか。まずは髪型からお話ししましょう。この頃に流行した髪型といえば〝ポンパドール・スタイル〟です。これは額《ひたい》をすっきり出した髪型で、現在もその名が残っています。しかしながら現在、私たちが〝ポンパドール・スタイル〟と呼んでいる髪型がすなわちポンパドール夫人がしていた髪型というわけではありません。当時、活躍していた彼女に敬意を表して流行の髪型に彼女の名前をつけたようです。実際のポンパドール夫人は、前髪を後ろへ引きつめて小さく束ね、その髷《まげ》に黒いリンネルの小さなキャップを被《かぶ》せて、造花やリボン、羽毛、ビーズなどを装飾としてあしらっていました。この髪型は、フランソワ・ブーシェが描いた次ページに掲げた彼女の肖像画によって知ることができます。画家フランソワ・ブーシェによると「当時、彼女は豊かなウエーブのある髪を額から後ろへ全部とかしつけ、花で飾ってある。そして大きなリボンを首の前と後ろにつけている」とあります。しかし実際はこの髪型よりも全体をカールさせた髪型のほうが多かったようです。また額の上に軽いカールをあしらって髪全体を一連の真珠《しんじゅ》で留めたスタイルや、小さな冠をつけ、後ろをウエーブヘアにして肩の長さにしたスタイルなどにもしていました。

　次にメイクについてお話ししましょう。この時代は、白粉《おしろい》を厚く塗り、その上に紅《べに》をつけていて、これが十八世紀末まで続きます。この場合、白粉は紅の色を強調するための下地として用いられました。特にルイ王朝の宮廷の女性や貴族の夫人たちが特別に濃い紅を使っていたので、その紅は〝ヴェルサイユ用〟と呼ばれました。

布地をたっぷり使った豪華なドレスは、まさに女性らしいロココの雰囲気

　十八世紀には新聞が登場しますが、それに化粧品の広告が出るようになりました。それを見ると、危険のない植物性の原料からつくった化粧品というのがキャッチ・フレーズになっています。しかし一七七七年に創刊された最初の日刊新聞ジュルナル・ド・パリの記事によると、多くの化粧品が依然として、朱、鉛白《えんぱく》、錫《すず》、鉛《なまり》、硫《い》黄《おう》、水銀《すいぎん》などの有害な原料を使っていると警告がなされています。

　最後にファッションについてお話ししましょう。この時代の宮廷のファッションは、とても高価な絹をたっぷり使っていて、布地を無駄にしないために、あまり裁断《さいだん》せずにドレスをつくったということです。大きなスカートとコルセットで締め上げた細いウエスト、胸元が大きく開いたボディコンスタイルで、女性らしさを強調しています。

　美しい花や装飾品をドレスの肩やスカートだけではなく、髪にも散らすことが好まれたようですが、決してけばけばしくなく、調和よくまとめ上げたのがポンパドール夫人の時代のファッションの特徴でした。

　ポンパドール夫人はバラ色がお好きで、セーブル磁器の〝ポンパドール・ピンク〟と呼ばれる美しいバラ色は、私も大好きな色です。私はフランスの歴史の中でもポンパドール夫人の時代のファッションがとても好きです。それは満開になる直前のバラの花にも似た、瑞々《みずみず》しい美しさが感じられるからです。

THE HISTORY OF BEAUTY 11

# チャーミングな妖精
# マリー・アントワネット

MARIE ANTOINETTE

フランス王ルイ十六世（在位一七七四年〜一七九二年）の妃《きさき》マリー・アントワネット（一七五五年〜一七九三年）は、オーストリアの女帝マリア・テレジアの十一番目の女の子としてウィーンで生まれました。ハプスブルク家とブルボン朝を結びつけるための政略によって、一七七〇年、十四歳でフランス王太子（のちのルイ十六世）と結婚しました。

マリー・アントワネットは美貌《びぼう》を誇《ほこ》り、無邪《むじゃ》気《き》で陽気な人柄でした。しかし当時の国庫財政窮乏《きゅうぼう》をよそに贅沢《ぜいたく》な生活をしていたために、国民の反感を買いました。そしてフランス革命（一七八九年〜一七九九年）において、断頭台《だんとうだい》の露《つゆ》と消えました。

さて、マリー・アントワネットはおしゃれに莫大《ばくだい》なお金を投じましたが、そうした意味でおしゃれの頂点を極めた人物といえるでしょう。美しき王妃、そしてファッションリーダーとして君臨《くんりん》していたマリー・アントワネットは、次のようなエピソードを残しています。

彼女の母のマリア・テレジアはマリー・アントワネットの大きな髪型の肖像画が届けられた時、あまりの派手さに、「これはどこかの女優の肖像画で、フランス王妃のものではない」といって受け取らなかったそうです。また、この時代の貴婦人たちは、日常の場合と特別の場合と、二人の結髪師《けっぱつし》をもつのが慣《なら》わしでした。マリー・アントワネットのお抱えの結髪師はレオナール・オーティエとランスニュールでしたが、彼女がノール伯夫人のためにヴェルサイユ宮殿で催した喜劇に出かけた時、結髪した中に、頭の曲線に合わせたひらべったい瓶《びん》を隠《かく》し、それに少量の水を入れて生きた花を挿《さ》しました。そのために花は生き生きとして素晴《すば》らしかったのですが、夜はベッドに横になることができずに、椅子《いす》に腰かけて一夜を過ごしたと記されています。いずれのエピソードもマリー・アントワネットのおしゃれに対する熱意やスケールの大きさを物語っています。

その時代、パリにルグローという結髪の芸術家が現れ、貴婦人たちの結髪をする一方で、結髪師の職業学校を開きました。これがきっかけとなって、結髪の芸術と結髪師の職業が注目を集めるようになります。そして芸術的なヘアスタイルは次第に巨大化し、奇想天外《きそうてんがい》なつくりものになっていきました。それがフランスとイギリスで十年以上も続き、さまざまな批評《ひひょう》や風刺《ふうし》画《が》の対象となりました。髪を高く幅広く見せるために髪の内側に枠《わく》を入れ、カールした入れ毛や巻き毛、亜麻屑《あまくず》を大量に加えていました。そして頭上のつくりものは、時勢を反映したものや、帆船《はんせん》、馬車、チューリップの花壇《かだん》、野菜と果物の籠《かご》など、かなり大胆《だいたん》な芸術的着想によって形づくられました。

マリー・アントワネットはシルバーブロンド

の美しい髪をしていました。そのためこの色が最も美しい色とされ、貴婦人たちはこぞって灰色の粉を髪に振りかけました。またヘアスタイルも彼女の贅沢ぶりを見習ったということですが、フランス革命とともにそのファッションは忽然《こつぜん》と姿を消しました。

次にお化粧についてお話ししましょう。マリー・アントワネットや貴婦人たちは、イチゴや牛乳のお風呂に入ったり、途方もなく高価な化粧品を愛用していました。粉白粉《こなおしろい》として澱粉《でんぷん》でできた香りのある粉を用い、唇《くちびる》や頬《ほお》はピンクやオレンジ色で濃く描きました。またムーシュ（パッチ）と呼ばれる絹を切ってつくったつけぼくろで頬を飾ったり、痘痕《あばた》や吹き出ものなどの欠点を隠しました。そして眉《まゆ》は形を整え、まぶたには光沢のある化粧品を使いました。しかし、目の周囲にはそれほど強い色彩は用いませんでした。

シルバーブロンドが美しいマリー・アントワネット。羽毛の髪飾りがお好み

ドレスはマリー・アントワネットが〝私の衣《い》装大臣《しょうだいじん》〟と呼んだお気に入りのローズ・ベルタン嬢が主にデザインしました。リボン、レース、フリンジなどの飾りがふんだんに使われている豪華なドレスには、王妃の威厳《いげん》が感じられます。また、この時代のドレスの刺繍《ししゅう》には日本の様式が多くとり入れられていて、思いがけなく日本の文化の影響を垣間《かいま》見ることができます。

マリー・アントワネットの侍女《じじょ》が彼女について「特別すごい美人というのではないが、接するすべての人を惹《ひ》きつけて離さない魅力をもっていた」と語っており、とても印象に残っています。

スカートを美しく広げるために
パニエという下スカートを着用した

THE HISTORY OF BEAUTY 12

# ナポレオンの運命を切り開いた ジョゼフィーヌ

JOSÉPHINE

ジョゼフィーヌ（一七六三年～一八一四年）は、のちにフランス皇帝となるナポレオン一世（一七六九年～一八二一年、在位一八〇四年～一八一四年）の最初の妻で、とても美しい女性でした。

ナポレオンは、彼女のしなやかな身のこなし、楽器を奏《かな》でるような声、情熱的で官能的《かんのうてき》な美貌《びぼう》に心を奪われ、一七九六年、六歳年上のジョゼフィーヌと結婚します。フランス革命後の混乱を鎮《しず》めて軍事独立政権を樹立《じゅりつ》し、ヨーロッパのほとんどを支配下に置いた英雄ナポレオンですが、彼の運命は、〝勝利の女神〟として崇《あが》められていたジョゼフィーヌによって開かれたといわれています。

一八〇四年、ジョゼフィーヌはナポレオンの即位に伴《ともな》って皇后《こうごう》となります。のちに子どもを授《さず》からないという理由で離婚しますが、彼女は皇后の称号を保持しつづけることを許され、マルメゾン城を居館としました。そして二五〇種にのぼる美しいバラに囲まれて暮らしていました。

ジョゼフィーヌは、センスがよく、魅力的で善良な女性でした。新しいおしゃれに敏感な、時代のファッションリーダーでしたが、同時に大変な浪費家《ろうひか》でもあり、毎年百着余りの服をつくらせていたということです。

さてこの時代のヘアスタイルとファッションをお話ししましょう。フランス革命前の巨大なヘアやドレスは姿を消し、古代ギリシャ風のシンプルなおしゃれが好まれるようになりました。そして、新しい髪型をつくるために古代や中世の史料が研究されました。鬘《かつら》が大いに利用されていましたが、ジョゼフィーヌも鬘を取り入れながら新しい髪型を次々と楽しんでいたようです。当時流行したヘアスタイルとしてはローマ帝国の皇帝ティトゥスにちなんだ史上初のショートカット、ティトゥス型（イラストA）や山あらし風ショートカット（イラストB）がありましたが、一方ではクラシックなロングヘアも好まれました。鬘や髢《かもじ》を用い、髪に色をつけることも行われました。また、ア・ラ・シノワーズ（イラストC）という、髪を頭上に高くまとめ、巻き毛を顔のまわりから肩にかけてたらした中国風の髪型も流行します。さらにこの時代を代表するニノン型（ア・ラ・ニノン）が流行《はや》ります。ニノン型は、十七世紀の美貌の女性ニノン・ド・ランクロが好んだ髪型です。断髪《だんぱつ》で、頭上を平らになでつけて額《ひたい》を出し、短い巻き毛を両サイドに垂《た》らした髪型です。

ファッションもジョゼフィーヌを中心にして展開します。ハイウエストのエンパイヤ・ドレスが流行しますが、このドレスは古代ローマの高い円柱をイメージしてデザインされたものです。ジョゼフィーヌのドレスは、お抱えデザイナーのルロワにつくらせたものですが、七五一枚のドレスのうち、モスリンなどの綿素材のものが五二九枚ありました。

　そしてインド産カシミアのショールが大流行しますが、これはエジプト遠征（一七九九年）から還《かえ》ったナポレオンが、ジョゼフィーヌのために土産に持ち帰ってから流行り出しました。

薄いモスリンのシュミーズ・スタイルという、胸の大きく開いたドレスが流行し、冬でもこれを着ていたために風邪をひく女性が少なくなかったといいます。そうした理由もあってショールは大人気でしたが、大変高価なものでもありました。

　のちにナポレオンはジョゼフィーヌのことをこう語っています。「彼女は最も深い意味において女だった。彼女こそ私が最も愛した女だった」と。離婚後もよき話相手でありつづけたというジョゼフィーヌという女性を、私は伝記を読むに従ってその人間味に触れた思いがし、好感をもつようになりました。

ジョゼフィーヌの肖像画。王冠を被り、エンパイア・ドレスを着用している

A　史上初のショートカット。ティトゥス型

B　山あらし風ショートカット

C　中国風の髪型、ア・ラ・シノワーズ

THE HISTORY OF BEAUTY 13

# 早春の花のような麗人 レカミエ夫人

JULIETTE RÉCAMIER

レカミエ夫人（一七七七年〜一八四九年）は、公証人の娘としてフランスのリヨンに生まれました。幼少期を修道院で送り、一七九三年、十五歳の時に、同じリヨン出身の銀行家ジャック・レカミエと結婚しました。夫とは親子ほども年が離れていました。

若いレカミエ夫人は、夫の財力にも恵まれて、パリのショセ・ダンタンやクリシーにあった館《やかた》でサロンを催《もよお》します。知性と教養、そして美貌《びぼう》に恵まれたレカミエ夫人はたちまち注目の的《まと》となり、社交界《しゃこうかい》の花形《はながた》となります。そして多くの男性たちを恋の虜《とりこ》にします。プロイセンの王子アウグスト、作家バンジャマン・コンスタンやシャトーブリアン、そして時の皇帝ナポレオンまでも……。

フランス座の桟敷《さじき》では、ナポレオンがこれ見よがしに彼女にオペラグラスを向け、〝レカミエ夫人も皇帝の寵愛《ちょうあい》を受ける日が近い〟と囁《ささや》かれていました。しかし彼女は「ノン」と断り続けました。そしてついにはナポレオンの求愛を拒んだために一時パリを追放されたことがありました。

絶世の美女、レカミエ夫人について、彼女の養女となった姪《めい》はこう記しています。「しなやかで優雅なからだつき、形がよく、均整のとれた首と肩、深紅《しんく》の小さな唇《くちびる》、真珠《しんじゅ》のような歯、ほっそりとした魅力的な腕、自然にカールした栗色の髪、繊細《せんさい》に整ったフランス的な鼻、比類《ひるい》のない肌の輝き、純真さに満ちて時に茶目《ちゃめ》っ気がのぞく表情……」と。レカミエ夫人は恋を楽しむことはしても、その深みには決して入り込みませんでした。サロンに出入りした評論家サント・ブーヴの言葉を借りれば、「彼女はすべてを春にとどめておこうとし、愛欲の夏も倦怠《けんたい》の秋も知らなかった」とあります。

さて、この頃のファッションと髪型についてお話ししましょう。十八世紀末に古代ローマの遺跡《いせき》ポンペイの発掘が行われましたが、これをきっかけにして十九世紀初め頃には古代趣味の流行が見られました。女性たちは、古代ギリシャ風の衣装《いしょう》を好み、流行しましたが、レカミエ夫人はそうした流行の先端にいました。彼女はきらびやかな色彩を好まず、いつも白い衣服を身にまとっていました。そして身につける宝石も真珠に限られていました。

ヘアスタイルで流行していたのは、ショートカットの髪の毛先をわずかにカールさせたティトゥス型や、後ろでまとめ、飾りバンドで短く結い上げたプシュケ型などです。

また、この時代の化粧は、ファッションや髪型と同様に、古典を尊重する風潮《ふうちょう》でした。十八世紀には若い人たちの間で鮮明な色の頬紅《ほおべに》が流行しましたが、一八〇五年頃からは化粧は薄くなり、化粧をしていないように見せるための工夫がなされました。それはメイクに対して関心

レカミエ夫人に贈るためにナポレオンがジャック・ルイ・ダヴィッドに描かせた肖像画

ナポレオン軍の影響でミリタリーファッションが流行した

を寄せなくなったとか、重きを置かなくなったということではなく、目立たない化粧が好まれて流行《はや》っていたことを意味します。

流行は紅《べに》をつけることから、肌を蒼白《あおじろ》く淡《あわ》く見せることへ移っていきます。顔を白くするローションや米の粉を使って化粧を施《ほどこ》したほか、パール・パウダーという輝きの出る白粉《おしろい》も流行しました。パール・パウダーの流行が顔の色を白くする傾向に拍車《はくしゃ》をかけました。パール・パウダーが流行したのは、フランス新古典主義を代表する画家フランソワ・ジェラールが、女性の肌を描く時に真珠色の色調で描いていたことが影響しているといわれています。

フランスの王政復古時代には古めかしい様式は消えてなくなり、婦人たちは蒼白くほっそりとして、繊細で高貴な姿を美しいとしました。ダンディーな男性たちは、そのような女性と釣り合いがとれるように、手の甲を白くし、掌《てのひら》に紅をつけることがよくありました。

ナポレオンの妃《きさき》ジョゼフィーヌ（28～29ページ）は奔放で情熱的な女性でしたが、レカミエ夫人はジョセフィーヌとは対照的に、春のはじめ頃の可憐《かれん》な花のような、初々《ういうい》しさやかわいらしさを感じさせる女性でした。そしてレカミエ夫人は、年を重ねてもなお、その魅力を失わなかったそうです。

THE HISTORY OF BEAUTY 14

# ロマンチシズムの演奏家
# クララ・シューマン

CLARA SCHUMANN

クララ・ヨゼフィーネ・ヴィーク（一八一九年～一八九六年）は、ドイツのライプツィヒで生まれました。クララの父親は音楽家で、幼い頃から彼女に音楽の英才教育をしました。そして一八二八年の秋、わずか九歳でゲヴァントハウス管弦楽団の演奏会でデビューを果たします。この演奏会でクララは、モーツァルトのピアノ協奏曲のソリストを務め、その才能を広く知られるようになりました。

同年三月、クララはヴィーク家と親しかったカール博士の家で開かれた演奏会で、将来、夫となるロベルト・シューマン（ロマン派の作曲家）と対面しています。当時シューマンはライプツィヒ大学に入学したばかりの学生でしたが、後年、クララは周囲の反対を押しきってシューマンと結婚し、よき妻よき母としての時代を築いていきます。また同時にクララは、十九世紀ロマン派音楽を代表する名ピアニストとしての地位も築き上げていきました。オーストリア皇帝フェルディナント一世は、クララを〝天才少女〟と呼び、オーストリアで最も栄誉ある〝王室皇室室内楽奏者〟の称号を与えました。

クララの人生は、私生活においても、演奏活動においても、ロマンチシズムそのものでした。次のページに掲げた肖像画はクララが十五歳の時に描かれたものですが、身にまとっているドレスは、当時流行していた砂時計型のドレスです。

また髪型は、当時流行していたノット・スタイルです。ノットは髷《まげ》のことを指しますが、これよりも前、一八二五年にはトップ・ロットという髪型が流行します。これは毛束を頭頂部で輪状に結んだ髪型で、アポロの胸像（ヴェルヴエデーレのアポロン）の髪型にヒントを得たものです。アポロ・ノットとも呼ばれ、エンパイア時代の有名な美容師ミシャロンが発表したといわれていますが、クロワザがつくったともいわれています。

クロワザは偉大な美容師として知られていますが、もともとは小間物師《こまものし》（髪飾りをつくる人）だったようです。その後、理髪師となって男性の髪を結《ゆ》っていましたが、ナポレオン一世の失脚後からナポレオン三世の帝政期にかけて、美容界の第一人者になりました。一八三二年には『美髪《びはつ》の方法』という本を著していますが、ここに収載されているスタイルはいずれも独創的で、新鮮さや勢いが感じられます。

一八二七年、エジプトの総督《そうとく》がフランスのシャルル十世にキリンを献上しました。異国からもたらされた珍しい動物として、たちまち注目の的となりましたが、クロワザは、キリンの角《つの》にヒントを得て、頭上に高く髷を結い上げる新しい髪型、ア・ラ・ジラフ（キリン風）を考案しました（イラストA－1）。角に見立てた長い櫛《くし》を後頭部に挿《さ》す（イラストA－2）のが特徴的なこのヘアスタイルは、まず髪を全部とかし上げて二つに分け、大きく横分けにし、紐《ひも》やリボン、花、羽などで仕上げます。

一八三〇年には、アポロ・ノットの一種のコックという髪型が現れます。コックは、リボンの蝶結《ちょうむす》びのことを指しますが、これを頭頂に立てた髪型がありました。創意にあふれたおもしろい髪型です。

クララは作曲家としての才能も備えていましたが、彼女が生きた時代は、女性が作曲家として認められる時代ではありませんでした。そのためクララは、作曲の仕事を夫シューマンに託し、自らはピアニストとしての道を選びました。クララは才能豊かな音楽家として高い評価を得ていましたが、一方で八人の子どもを授《さず》かり、育児にも力を注いでいました。才能と愛情に満ちた、充実した人生を歩んだ女性だったといえるでしょう。

クララ15歳の肖像。当時流行の髪型とドレスの優雅な姿

A−1　キリンの頭部を模した〝ア・ラ・ジラフ〟

B　アポロ・ノットの一種

A−2　キリンの角に見立てた大きな櫛が特徴的

THE HISTORY OF BEAUTY 15

# エレガントなファッションを復活させたウージェニー

EUGÉNIE

ウージェニー（一八二六年～一九二〇年）は、スペインの大貴族ドン・シプリアーノの娘としてスペインのグラナダで生まれました。一八五三年、ウージェニーは、前年にフランス皇帝に即位したナポレオン三世（ナポレオン一世の甥《おい》、一八〇八年～一八七三年・在位一八五二年～一八七〇年）と結婚し、ノートルダム大聖堂で結婚式を挙げました。

ナポレオン三世の時代をフランス第二帝政時代と呼びますが、ナポレオン一世の頃の威光《いこう》がよみがえり、活気が戻ってきた時代です。ファッションにおいても同様で、エレガントで豪華なファッションが復活し、華《はな》やぎが戻りました。

ウージェニーは、青い瞳と栗色の髪、そして透きとおるような白い肌をもった美しい女性で、貴族的で気品のあるものを好みました。ファッションにおいても、彼女の高い美意識を反映したデザイン、色彩、生地が選び出されました。

さて、この時代のヘアについてお話ししましょう。ウージェニーはヨーロッパモード界のファッションリーダーとして、二十年もの間、注目されつづけました。ナポレオン三世とウージェニーの結婚式には、宮廷美髪師《びはつし》のルロアがヘアスタイルをデザインしました。それはサファイアの王冠を引き立てるために前髪にゆるやかなウエーブをつけ、残りの髪を後ろにもっていくヘアスタイルでした。この髪型はマリー・スチュアート型ポンパドールと呼ばれるもので、一八五五年頃には一般にも流行しました。

この結婚によって、ウージェニーの生まれ故郷であるスペインからパリに、レースの髪飾りがもたらされました。一八五四年、パリでは髪に金粉や銀粉を振りかけることが流行しました。また、造花の髪飾りも好まれ、とても精巧につくられました（イラストA）。一八五五年頃には髪を真ん中で分け、両脇でカールして束ねるスタイルが流行しました。ヘアピースも多く用いられましたが、特に一八五〇年代には羽飾りが流行しました（イラストB）。一八四〇年代には、縦《たて》ロールを顔の両脇《りょうわき》に垂《た》らすヘアスタイルが流行《はや》りました（イラストC）。これはイギリスから入ってきたスタイルで、アラ・コワフュール・アングレーズ、もしくは略してアングレーズと呼ばれるものです。また、真ん中分けにした髪を耳に被《かぶ》せるようにして後ろでまとめ、シニヨンにしたバンドゥ・スタイルが流行します。普段のウージェニーは、フロントをポンパドール風に高くして、アングレーズを何本も肩に垂らした髪型をよくしていたようです。

この時代はアクセサリーが流行し、髪にも盛んにつけられました。ウージェニーは髪に宝石をたくさんつけ、白いチュールの服にも宝石の細工をつけていました。それは琥珀《こはく》や水晶《すいしょう》の飾り、ヴェネチアのガラス玉、ローマの真珠《しんじゅ》、七宝《しっぽう》焼、珊瑚細工《さんございく》といった贅《ぜい》を尽くしたものでした。

化粧品は、ローションをつけ、頬紅《ほおべに》をつけて、アイラインを引いていました。また、スペインのヘア・ドレッサーがハーブ（薬草）からつくる特別のヘアトニックの処方をウージェニーに贈呈《ぞうてい》したという記録が残っています。

コスチュームの分野では、クリノリンの誕生が特筆《とくひつ》すべきことといえましょう。クリノリンは、スカートをふくらませるための下着の一種で、鯨《くじら》のひげや針金をドーム状に組んだものです。このクリノリンの直径は一メートル以上もありました。このファッションは二十年も続きますが、歩く時、座る時などに優雅さを失わずに振る舞うことは、大変だったことでしょう。それでもなお、この時代の華やかでエレガントなファッションは、時代を超えて、女性たちに夢を与えてくれます。

エレガントで豪華なファッションを復活させたウージェニー皇后

C　縦ロールを顔の両脇に垂らす髪型（1840年代）

B　羽の髪飾り（1850年代）

A　造花の髪飾り（1850年代）

THE HISTORY OF BEAUTY *16*

# 大英帝国の最盛期に君臨した ヴィクトリア女王

QUEEN VICTORIA

　ヴィクトリア女王（一八一九年〜一九〇一年・在位一八三七年〜一九〇一年）は、イギリス王ジョージ三世の四男ケント公エドワードと、ドイツのザクセン・コーブルク公の娘ヴィクトリアとの間に誕生しました。そして一八三七年、イギリス王ウィリアム四世の逝去《せいきょ》に伴《ともな》い、ヴィクトリアは十八歳でハノーヴァー朝第六代女王に即位しました。ヴィクトリア女王は即位の時、「女王という地位につくことが神のおぼしめしならば、私はこの国に対する義務を果すのに全力を尽すことにしよう」と決意を書きつづっています。以来、六十三年七ヵ月におよぶ在位中に世界各地を植民地化・半植民地化し、繁栄《はんえい》を極めた大英帝国の女王として、歴史にその名を刻《きざ》んでいきます。

　ヴィクトリア女王が母方の従兄弟《いとこ》アルバート王子と結婚したのは、彼女が二十一歳の時でした。夫妻は同い年で大変仲睦《なかむつ》まじく、幸福で健康的な女王の家庭生活は国民の模範《もはん》となり、王室に対する敬愛の念は一段と高まりました。

　さて、この頃のメイクアップはどのようなものだったのか、お話ししましょう。栄華を極めたヴィクトリア朝ではありましたが、メイクにおいてはその逆ともいえる状況でした。つまり派手なメイクは好まれず、化粧品は人目を忍んでこっそり使うものとされていました。その原因のひとつとして、一八六一年に夫を亡くして以後、ヴィクトリア女王が喪服《もふく》を脱《ぬ》がず、お化粧もしなかったため、若い淑女《しゅくじょ》の身だしなみも控《ひか》えめになったことが挙げられます。しかし女性たちは化粧に関心をもっていなかったわけではありません。

　ヴィクトリア朝中期には静脈《じょうみゃく》を描くという、現代人の私たちの感覚では奇妙《きみょう》とも思えるメイクが流行《はや》ります。静脈の青さを強調する方法について、ブリントン博士とナフィズ博士が次のように説いています。「それは長く行われてきたことだ。きめの細かい粉末のフランスまたはヴェニスの白亜《はくあ》に着色したものを使う。上流社会には今でもそのペーストを入れた小さな壺《つぼ》がある。小さな革製《かわせい》の筆がそえられ、静脈の方向や色合いが解剖学《かいぼうがく》的にみて本物そっくりに描けるようにつくられている。この効果は素晴《すば》らしく、かつ自然に見えた」ということです。

　白粉《おしろい》についてはいくつか肌を白くする方法があり、澱粉《でんぷん》も時々使われました。アメリカの女性たちは、炭酸マグネシウムの粉末を使っていました。しかし上流階級の貴婦人たちはこのような方法に満足せず、血の気のない白さと輝きを強く出せる金属化合物を通常使っていました。いずれも肌には有害だったようです。

　化粧水はレモン、キュウリ、ワサビダイコンなどからつくられていました。またコップ一杯の水に大さじ一杯の安息香《あんそくこう》（アンソクコウノキなどの植物が産出する樹脂《じゅし》）を加えてつくった化粧料も人気がありました。

この時代の眉《まゆ》は弧を描くような形が好まれ、ほどよく濃く、左右の眉毛はくっついてはいけないとされていました。また眉毛は少量のコロンを入れた水に浸した柔らかいブラシで整えました。眉毛を濃くする方法として、五倍子《ふし》と油、アンモニア、塩の混合物に少量の酢を加えたものを寝る前につけて、翌朝ぬるま湯で洗い落す、という方法が行われていました。

ヴィクトリア女王は身長五フィート（約一五二センチ）たらずと小柄で、髪の色は栗色、目は大きくてブルーの、とても可憐《かれん》な女性でした。

最愛の夫アルバートとの間に、四男五女の子どもを授《さず》かりました。幼い頃から帝王学を身につけていたヴィクトリア女王でしたが、夫の死に際してはいつまでも喪に服していて、公務に支障が出るほどだったといいます。私はそんなヴィクトリア女王の純粋さに惹《ひ》かれます。

クリノリンを着用した、公式なドレススタイルのヴィクトリア女王

エレガントな揺れる髪飾り

王冠を被る時にぴったりなヘアスタイル

当時流行していたバンドゥースタイル

THE HISTORY OF BEAUTY 17

# ベル・エポックの花形女優
# サラ・ベルナール

SARAH BERNHARDT

サラ・ベルナール（一八四四年～一九二三年）は、パリ生まれの舞台女優で、ベル・エポックの社交界の花形でした。ベル・エポックとは〝よき時代〟という意味で、十九世紀末から第一次世界大戦が勃発《ぼっぱつ》するまでの期間を指します。この時代、パリは束の間の華《はな》やぎを見せていました。

サラは黄金色《こがねいろ》の瞳、赤く柔らかな髪をもったとても魅力的な女性でした。その美声は黄金の声と謳《うた》われ、『椿姫』『フェードル』『ロレンザッチオ』『若き鷲《わし》』をはじめとする舞台で喝采《かっさい》を浴びました。彼女の名声はたちまち広がり、フランス国内だけではなく、イギリス、アメリカなど国外でも人気を博《はく》しました。サラは、陽気で負けず嫌い、贅沢《ぜいたく》が好きで、常に著名人に囲まれている、そんな女性でした。

こんなエピソードが残っています。作家のオスカー・ワイルドがサラの芝居《しばい》のチケットを買うつもりだったお金をある貧しい婦人に与えたところ、その婦人は食べるものではなく、サラの芝居のチケットを買ったということです。彼女の人気ぶりを表すお話です。彼女のようなスケールの大きな女優は、なかなか現れないだろうとさえいわれています。

さて、この時代の女性たちは、どのようなヘアやファッションを好んでいたのでしょうか。

一八七〇年代のファッションで特徴的なものは、バッスル・スタイルです。バッスルというのは、スカートの後ろをふくらませるための腰当てのことで、当時の女性はこれをつけて裾《すそ》に幅のあるシルエットをつくりました。そしてハイヒールをはき、腰当てをしている関係で、やや前かがみになって歩いていました（なかにはステッキを使う女性もいたそうです）。

髪型は、プロポーション全体が細長く見えるように次第に高くなっていきます。代表的な髪型は、一八六〇年代に流行したウォーター・フォール型（滝型《たきがた》。イラストA）です。このスタイルは馬毛《うまげ》のクッションや入れ毛をふんだんに使い、後ろをロールやカドガン、または大きなブレードなどにして下げ、流れ落ちる滝を表現しました。そして被《かぶ》りものとしてボンネットやシャポー（帽子《ぼうし》）を愛好しましたが、いずれも小型で髪の前や後ろや斜めに軽くのせるように被りました。

一八八〇年代は、髪型より被りものが目立ちました。ボンネットに代わってシャポーが正装用として重要になってきましたが、それでも一般にはボンネットが用いられていました。

髪型は、中国から影響を受けた、前髪をおかっぱのようにまっすぐに切ったスタイル（バング）が流行《はや》りました。また髪を後ろで束ね、リボンをつける髪型（イラストB）が主にイギリスで流行しました。

この時代は、髪を染めることも流行しました。

いろいろな色に髪を染め、特に喜ばれたのは明るい金色でした。また明るい黄色も好まれ、これはアレラサナ・スペイトという人が自分の娘の髪を染めたところから流行したといわれています。

そして、この時代の美容界の大革命といえば、何といってもマーセル・ウエーブです。マーセル・ウエーブは、石油ランプで熱した鉄棒に髪を巻きつけ、溝形《みぞがた》の棒で髪を挟《はさ》んでウエーブをつける手法のことで、マーセル・グラトーという美容師が考案しました。彼は二十歳の時、モンマルトルで小さな美容室を開きましたが、ある日、母親のナチュラル・ウエーブの半分が伸びてしまっているのを見て、長持ちする美しいウエーブをつくる方法はないかと考えた結果、マーセル・ウエーブの手法を思いついたといいます。この手法は美容界に一大センセーションを起こします。この発明によって、ヘアスタイルにも大きな変化が表れました。

サラは演劇のみならず、絵画や彫刻、本の執《しっ》筆《ぴつ》や戯曲《ぎきょく》づくりなども手がける才能豊かな女性でした。私は学生時代から演劇が大好きでしたので、彼女のように表現力豊かな大女優に憧《あこが》れを感じます。

大女優サラ・ベルナール。この時代のドレスは縦長のラインが流行だった

B　シニヨン（髷）にリボンをつけた髪型（1880年代）

A　ウォーター・フォール型（滝型、1860年代）

THE HISTORY OF BEAUTY 18

# イギリス大衆娯楽の華
# マリー・ロイド

MARIE LLOYD

十九世紀後半から、映画がトーキー（音声のある映画）になる一九二〇年代末まで、イギリスの大衆娯楽《たいしゅうごらく》の中心はミュージック・ホールでした。ミュージック・ホールは、現在のショーパブのような施設で、飲食とともに寸劇《すんげき》や歌謡《かよう》、ダンス、曲芸などのショーが楽しめる場所でした。このミュージック・ホールのスター中のスターがマリー・ロイドです。

マリー・ロイドは一八七〇年、ロンドンの下町に生まれました。十五歳でミュージック・ホールで歌手デビューするとたちまち人気者となり、二十歳になる頃にはトップスターになりました。その人気ぶりは、時代を代表する三人の女性として、ヴィクトリア女王、ナイチンゲールとともに、彼女の名前が挙《あ》げられるほどでした。

彼女が活躍したヴィクトリア朝後期からウィンザー朝初期にかけての時代は、イギリスが繁《はん》栄《えい》を誇《ほこ》っていた時代でした。しかし、その一方で階級的な差別の激しい時代でもありました。マリー・ロイドは、下町育ちならではの親しみやすい快活さで、また時には風刺《ふうし》や哀感《あいかん》を交えて民衆の心を歌いあげました。大英帝国の発展を底辺で支えながらも報《むく》われることのなかった労働者たちにとって、マリー・ロイドは疲れを癒《いや》し、気持ちを浮き立たせてくれる存在だったことでしょう。そしてほどなくして彼女の名声は海を渡り、世界中に広がっていきました。

さて、一九世紀末から二十世紀初頭にかけて、ヨーロッパを中心にしてアール・ヌーヴォーという芸術様式が流行しました。アール・ヌーヴォーという言葉はフランス語で、直訳すると〝新しい芸術〟となります。その特徴は、つる草のようにうねる曲線を多く用いる点にあり、特に建築や工芸の分野にその影響を色濃く映《うつ》した作品を多く見ることができます。

そして美容の分野にもその影響を見出すことができます。ヘアモードでは、マーセル・ウエーブの普及《ふきゅう》が挙げられます。マーセル・ウエーブは一八八〇年、フランスの美容師マーセル・グラトーが開発したもので、ヘアアイロンでウエーブをつける手法です。マーセル・ウエーブは、曲線を多用するアール・ヌーボーのセンスとマッチし、たちまち大流行となりました。また、有名な美容師ドレデルが、つけ毛を入れる代わりにウエーブで型どった髪を発表してから、ウエーブ時代を迎えます。そしてその頃からサイドパート（横分け）も見られるようになりました。

二十世紀初頭には、ポンパドールという髪型が流行します。これは十八世紀に流行したポンパドール・スタイルを誇張《こちょう》したヘアスタイルです。入れ毛でつくった芯《しん》やワイヤー・フレームの上に前髪をなで上げて庇《ひさし》のように張り出し、束髪《そくはつ》や編み毛などをその上にのせて変化をつけました。また、この時代の髪の色はブロンドがすたれ、ヘンナという植物を染料にして赤褐色《せきかっしょく》に染めることが流行しました。

　そしてもうひとつ、パーマネント・ウエーブの誕生も大きな話題といえましょう。パーマネント・ウエーブは一九〇五年、ドイツ人のチャールズ・ネッスラーによって発明されました。電気の熱でウエーブをつけていきますが、最初の頃は八時間から十二時間もかかっていたそうで、費用も膨大《ぼうだい》だったということです。

　ファッションの分野では、S字ラインルックが流行します。これはバストとヒップを強調したスタイルです。このようなスタイルには、高さがあって幅のある髪型がバランスがよいため、高さと幅のある髪型や帽子《ぼうし》がフランスを中心に流行しました。

下町の歌姫として、社会の底辺を明るく照らしたマリー・ロイド

　化粧品もこの時代に急速に進歩し、肌色のパウダーやコンパクトが登場し、バニシングクリームもつくられるようになりました。チェスブロー・ポンズは、十九世紀の終わりにワセリンからフェイスクリームやローションをつくり出しました。また、ヤードレー社は、ラベンダー・ウォーター、あるいはコロンという名前で香水を世に広めました。
　マリー・ロイドの写真を見ると、ヘアスタイル、メイク、ドレスがとてもバラエティに富んでいて、新しいおしゃれを積極的に取り入れている様子が伝わってきます。彼女の底抜けの明るさと力強さは、まさに社会の底辺を照らす光そのもの。私も彼女の無邪気な明るさがとても好きです。

ウエストを細く締め、バストとヒップを強調したS字ラインルック

THE HISTORY OF BEAUTY 19

# 透明感のある美の世界を描いた マリー・ローランサン

MARIE LAURENCIN

フランスは、プロイセン王国との戦いに敗れた（一八七一年）後、不安定な状態となっていました。しかし十九世紀末には産業革命も進み、落ち着きと明るさを取り戻していました。この頃から第一次世界大戦の開戦（一九一四年）までの期間を〝ベル・エポック〟といいます。ベル・エポックはフランス語で〝よき時代〟という意味です。戦争と戦争の狭間《はざま》の、短くも華やかな時代、星の瞬《またた》きにも似た輝きを放つ時代でした。

この時代にひときわ美しく輝いていた女流画家がいました。それはマリー・ローランサンです。マリー・ローランサンは一八八三年、パリに生まれました。高校卒業後、アカデミー・アンベールという絵画研究所で絵の勉強をはじめます。ここで画家ジョルジュ・ブラックと知り合い、キュビズムの影響を受けます。キュビズムというのは〝立体派〟と訳される芸術運動のひとつで、従来の写実的な絵画とは異なり、表現対象を極端に単純化・抽象化して描きます。そしてキュビズムが注目を集めていた頃マリー・ローランサンは、画家パブロ・ピカソや詩人で美術評論家のギヨーム・アポリネールなどのアトリエとなっていたアパート、通称〝洗濯船〟に出入りするようになります。洗濯船はキュビズムに熱中する芸術家たちのたまり場になっていて、彼女はここで芸術家としての芽をふくらませていきます。

二十二歳のマリー・ローランサンは、アポリネールと恋に落ちます。アポリネールは彼女を詩にたたえ、彼女の絵についても美術雑誌に大変好意的な評論を書きました。それは彼女が彼のもとを去った後も続き、彼女への想いをつづった詩が彼の代表作『ミラボー橋』となっています。

キュビズムの影響を受けていたマリー・ローランサンでしたが、三十歳になる頃にはエコール・ド・パリ（パリ派）の有望な新進画家として知られるようになります。その後、第一次世界大戦やドイツ人男爵《だんしゃく》オットーとの結婚、亡命生活、離婚などさまざま経験を経て、彼女は単身パリに戻ります。画風にも大きな変化が現れました。今日私たちが知る彼女の画風、明るく淡《あわ》い色彩で描かれた少女像は、この頃に生まれました。

さて、この時代はどのようなファッションが流行《はや》っていたのでしょうか。一九一〇年頃、よちよち型スカートともいわれるホッブル・スカートが流行するようになると、大型の髪型は次第に下火になり、体全体のシルエットが直線的に形づくられるようになります。具体的には、髪を頭に巻きつけるように整えたり、巻き毛で頭を取り巻くようにして小さくまとめました。

一九一七年頃には、アメリカからパーマネント・ウエーブが逆輸入の形でフランスに入ってきます。戦争中にアメリカからやってきた女性看護師たちは、能率アップのために髪を短く切ってパーマネントをかけていました。このスタイルをフランスではジャンヌ・ダルク刈りと呼びました。そして一九一九年頃にショート・カットが流行しはじめます。最初に流行したのは、ストレートヘアを耳にかけるスタイルのダッチ・カット（オランダ風カット）でした。

次に化粧品についてお話ししましょう。一九一〇年に出版された『デイリー・ミラー・ビューティブック』に化粧品についてのアドバイスが細やかに書かれています。自家製のローションのことや口紅の製法が記されていますが、この頃のメイクはロシアからやってきたバレリーナのメイクの影響から、濃い色が好まれたようです。また先進的なファッションを紹介する小冊子には、目を長く見せるペンシル・ラインのことが記されています。それは輝くような美しい瞳をつくる方法として、まつ毛を上にカールさせ、眉《まゆ》を黒くするとあります。化粧料としてバラ香水やアストリンゼン・ローション、インディアン・インクなどが用いられました。またイギリスではこの頃、入《い》れ墨《ずみ》（タトゥー）を入れることが一般市民の間にも浸透しました。

ショートカットにパーマネントをかけたスタイルのマリー・ローランサン

マリー・ローランサンは背が高くて細身、エキゾチックな風貌《ふうぼう》で、不思議《ふしぎ》な魅力をもっていました。彼女はよき恋人とよき友人たち、そしてさまざまな芸術運動の影響を受けながら、独自の美の世界をつくりあげました。その透明感のある絵を見ると、美を表現する彼女の、ピュアな心が映し出されているように感じます。

パキャン（ファッションデザイナー）の田園服

THE HISTORY OF BEAUTY 20

# ファッション界の革命家 ガブリエル・シャネル

GABRIELLE BONHEUR CHANEL

時代を超えて、今なお多くの女性の心をとらえ続けているデザイナーといえば、何といってもシャネルではないでしょうか。シャネルは一九二〇年代、パリが文化の中心として世界に大きな影響を与えていた、まさにその時代の中心にいました。

シャネルは、本名をガブリエル・ボヌール・シャネルといい、ココ・シャネルの〝ココ〟というのは愛称です。シャネルは一八八三年、フランス南西部のオーヴェルニュ地方で生まれました。幼くして母親を病気で失い、行商人だった父親とも生き別れとなって、孤児院《こじいん》や修道院で育ちました。十八歳で孤児院を出た後は、歌手を夢見て田舎町でコーラスガールになります。幸か不幸か、シャネルは歌手としての才能を開花させることはなく、当時、交際していた将校《しょうこう》バルサンに伴《ともな》われてパリ郊外の町に移り住みました。退屈しのぎでつくった帽子《ぼうし》が評判となり、一九〇九年に帽子のアトリエを開き、翌年には帽子専門店を開きました。その後、さまざまな出会いや困難を経て、パリのオート・クチュール（高級仕立て服）界の女王として君臨《くんりん》し、やがて世界のブランドとしての揺《ゆ》るぎない地位を築き上げます。

彼女は自らの運命を自らの手で切り開く、二十世紀の女性の代表といえましょう。そして女性たちに新しい生き方までも提案するデザイナーでした。彼女の功績のひとつとして、コルセット（女性用の補正《ほせい》下着の一種）からの解放が挙げられます。当時、身につけるのが当たり前とされていたコルセットを〝女性を締めつける不便な道具〟としてこれをなくしました。それは体だけではなく、女性たちの心の解放をも意味していました。

では彼女の功績とともに、当時のファッションについてお話ししましょう。シャネルは一九二四年、ロシア・バレエ団の衣装《いしょう》を担当しました。その時にデザインした服がシャネル・スーツと名付けられ、流行します。シャネルスーツは、襟《えり》なしのジャケットと、膝下丈《ひざしたたけ》のストレートなスカートのスタイルで、ファッション史上に残る画期的なものでした。体をコルセットで締めつけるファッションから、女性の活動を妨げないファッションへと大変革したのです。ジャージィやトリコットといった生地を使いはじめたことや、パンタロン（幅広《はばびろ》のスラックス）、黒の細身のドレス、絹のパジャマのファッションを生み出したことも彼女の功績のひとつとして挙げられます。また、香水のシャネルN°5はあまりにも有名です。色彩としてはそれまでのファッションにはあまり使われなかったベージュを流行色にしました。グレーやネイビーブルーも、彼女が好んだ色でした。

さて、この頃の髪型についてお話ししましょう。ショートヘアが流行し、ダッチ・カット（オランダ風カット）がはじめられました。しかし美容師たちは中ぐらいの長さで、美しくウエーブしたスタイルをよしとしました。またボブスタイルの鬘《かつら》が、主に中年の女性たちに愛用されました。さらにこの時代、ギャルソンヌ・スタイルが現れます。これはショート・スカートかズボンで、ヘアがボブというスタイルでした。

第一次世界大戦後は、だれもがお化粧をするようになり、日焼けした肌が流行《はや》りました。お化粧はあまりどぎついものは好まれず、眉《まゆ》は細くカットし、アーチ型にアイブロウ・ペンシルで描きました。唇《くちびる》は口紅で形を整えて描き、リップカラーは赤、オレンジ、紫色など色彩豊かでした。

シャネルのドレスに合う髪型はショートカットで、それにクロッシェと呼ばれる帽子《ぼうし》を被《かぶ》りました。また、これに合う化粧として、シャネルは黒く塗った目と、鮮やかにシャープに描かれた唇をデザインします。口紅はドイツの合成染料によってつくられ、棒《ぼう》口紅（リップスティック）と呼ばれました。

シャネルのデザインは、女性の生き方を大きく変えた

自分でデザインした
ドレスを着たシャネル

シャネルは、実用性と機能性に富み、女性らしさのあるファッションを目指しました。それに伴って髪は全体に短いか、後ろでややカールしたもの、短い髪の両側をカールさせたものなどがデザインされます。これはアントワーヌ・ボブと呼ばれ、パリの美容師アントワーヌが一九二五年につくったボブスタイルです。

シャネルは非常に意志が強く、揺るぎない信念をもっていました。そして自らの人生をデザインし、自らの力で勝ちとっていきました。また同時に、繊細で心優しい女性でもありました。だからこそ、多くの女性に愛されるファッションを生み出すことができたのですね。

THE HISTORY OF BEAUTY 21

# 銀幕のクールビューティ グレタ・ガルボ

GRETA GARBO

グレタ・ガルボは、一九三〇年代を代表する映画女優です。ガルボは一九〇五年、スウェーデンで生まれました。百貨店で販売員をしていた時、モデルに起用されたのをきっかけにして一九二二年、『放浪者《ほうろうしゃ》ペッテル』という作品で女優デビューを果たします。また同年、スウェーデン王立演劇アカデミーで演技を学びはじめ、そこで映画監督マウリッツ・スティッレルに認められて『イエスタ・ベルリングの伝説』の大役を得ます。そしてガルボはマウリッツのハリウッド進出に随伴《ずいはん》し、大スターへの階段を昇りはじめます。

ガルボは、一九二〇年代後半から一九三〇年代にかけて絶大な人気を博します。そしてその美貌《びぼう》は、〝北欧のモナ・リザ〟〝神秘《しんぴ》に包まれた美の女神〟と賞されました。ハリウッドの映画界は総力をあげて、彼女をスターに仕上げるためのメイクアップを考え、衣装《いしょう》をデザインしました。そして私たちの知る、クールで神秘的な雰囲気を漂《ただよ》わせる、〝大女優ガルボ〟が生まれました。ヘアスタイルもガルボ独特のものがつくり出されました。〝グレタ・ガルボ型〟と呼ばれるボブが一九三二年頃に大流行しました。この髪型は現在ではセミロング・ボブと呼ばれる髪型ですが、横分けにしてまっすぐ下に下ろし、耳のあたりでふっくらと大きい巻き毛をつくったり、ぴったりと頭の形なりにといて、高い位置にシニヨンをつけるなどしました。おもしろいことに『クリスチナ女王』『アンナ・カレーニナ』『ニノチカ』などでの彼女の髪型は、すべてガルボ型に近いものでした。

一九二九年十月、アメリカのウォール街で株が大暴落《だいぼうらく》し、瞬《またた》く間に世界中に波及して大恐慌《だいきょうこう》を引き起こしました。ファッションは世相を映す鏡といわれることがありますが、こういう不況の時代には、不思議なことに長いスカートにロングヘアが流行します。一九三五年頃のイギリスでは、かなり長めのテン・インチ・ボブが流行しました。これはギルバート・フォーンがデザインしたもので、十インチ（約二十六センチ）とかなり長めのボブで、ウエーブと房状のカールがあしらわれたものでした。一九三七年には中世の小姓《こしょう》の髪型であるペイジボーイ・ボブが流行します。まっすぐにバング（前髪）を下ろしたり、ゆるいカールをあしらい、残りの髪を内側に巻き込んだものでしたが、次第に変化していきました。

髪色を変えるおしゃれもこの時代に多様化しました。ヘアラッカーが登場し、簡単に髪色に変化がつけられるようになりました。また、ヘアブリーチもこの時代に進歩します。人気のあった髪の色は、薄いブロンドかプラチナ色に輝く色で、プラチナ・ブロンドと呼ばれました。

一九三〇年代になると、映画がモノクロームからカラーに変わり、これまで以上にメイクに注意が払われるようになります。パウダー、ベース、ルージュ、アイシャドーなども工夫され、クリームもいろいろなものがつくられます。一九三九年に公開された『風と共に去りぬ』によって、眉《まゆ》を細くはっきりと描くためのアイブロウ・ペンシルが発達します。

一九三四年のキネマ旬報に、作家の室生犀星《むろうさいせい》が『クリスチナ女王』に出演したガルボを評した文があるのでご紹介します。

「グレタ・ガルボという人は、やはりうまい。(中略)あんな三角みたいな面白《おもしろ》くない顔がなぜあんなに美しく見えたのであろう、と考えて見ると、やはり演技のうまさが奥の方に冴《さ》えていて、あんなにも美しく見せることに感心した」とあります。ガルボの何ともいえない美しさは、内面から湧《わ》き起こるものによっても、形づくられていたのですね。

ところでガルボが活躍していたこの時代、私の父、牛山清人(ハリウッド化粧品株式会社の創業者)は、まさに同じハリウッドの地で映画俳優をしていました。映画が大好きだった父の影響で、私の家には映画スターの本がたくさんありましたが、幼い頃に見たガルボのポートレートから、なぜか強烈な印象を受けたことが思い出されます。

ガルボ独特のメイクは、ハリウッドのメイクアップチームがつくり上げた

アメリカの女性たちに好まれた髪型

THE HISTORY OF BEAUTY 22

# 一九四〇年代の大女優
# イングリッド・バーグマン

INGRID BERGMAN

イングリッド・バーグマンは、一九一五年にスウェーデンのストックホルムに生まれました。幼くして両親を失い、叔母《おば》の家に引きとられましたが、女優を志《こころざ》して王立演技学校で演技を学びはじめます。彼女は女優になる決心をした理由について、「女優になれば、私が必要としていた避難《ひなん》場所もつくれるし、嫌なことを水に沈めることができる。そして私ではない人物を演じることができるからです」とのちに語っています。家庭的に恵まれなかったバーグマンにとって、現実から逃避《とうひ》できる場所だったのでしょう。

バーグマンはデビュー当時、純真で健康的な役を演じることが多かったのですが、自らのイメージを打ち破り、汚れ役にも挑戦します。そして映画だけではなく、舞台やテレビなどにも活躍《かつやく》の場を広げ、大女優としての道を歩みはじめます。

バーグマンは、第二次世界大戦時に最も活躍した女優の一人でした。一九四三年公開の『カサブランカ』は彼女の代表作ですが、この時のヘアスタイルは、一九三〇年代から一九四〇年代にかけて流行したオーソドックスなウエービーボブで、サイドをかき上げ、毛先を柔らかく内巻《うちま》きにしたスタイルです。第二次世界大戦下ですので、地味《じみ》な髪型です。しかしこの髪型によってバーグマンの知的な魅力が引き立てられています。

『誰《た》がために鐘《かね》は鳴《な》る』では少年風のヘアスタイルをしています（次ページの写真）。彼女の清楚《せいそ》な美しさをいっそう際立《きわだ》たせているこのヘアスタイルは、均一の長さにカットした髪をカールさせた髪型ですが、泡のようなカールの形からバブル・カットと呼ばれました。

一九四一年頃からアメリカでは、金髪の魅力を発揮した女優ヴェロニカ・レイクの髪型が評判になります。横分けにしたロングヘアにウエーブをつけた髪型で、ヴェロニカ・レイク・スタイルと呼ばれました。この髪型は、一九四〇年代を通して流行しました。

一九四五年にはアメリカで、トップ・ノット・スタイル（頭頂部で髪を束ね、毛先を遊ばせる髪型）が流行しました。また、フェザー・カットも流行しました。フェザー・カットは、短く不揃《ふぞろ》いにカットした髪を羽のようにカールさせたスタイルです。手入れが簡単で大抵《たいてい》の顔型に似合ったため、短めの髪を望む女性に好まれました。フェザー・カットは一九四八年頃まで流行し、これにギリシャ風のメイクをすることが流行《はや》りでした。

ハリウッド映画の影響でナチュラル・ウエーブが流行すると、さらっとした髪にふさわしい香水が流行します。ヤードレー社は中流階級の人たちのための化粧品を、コーリンス社は下層階級の人たちのための香水を発売します。これによりだれもが香水を愛好できるようになりました。一方、上流階級に最も好まれた香水はシャネルNo5でした。

ヘアに関する大発明として、一九三六年のコールド・パーマネント・ウエーブが挙げられます。コールド・パーマネント・ウエーブが発明される前は、電気の熱でウエーブをつけていましたが、戦争が終わって間もない頃（一九四九年頃）、父（牛山清人）が経営していた美容室では、電気のパーマネント機械がまだ使われていて、お客さまが頭から何十本ものコードを下げてパーマをかけている姿をよく見かけました。

泡のような形にカールにしたバブル・カット（『誰がために鐘は鳴る』より）

長谷川町子の『サザエさん』第一巻に、当時のハリウッド美容室の様子が描かれています。
また、もうひとつこの時代に登場したのが染《せん》髪《ぱつ》クリームのコレストンです。これによって髪を傷《いた》めずに自然な色合いに染められるようになりました。
『誰がために鐘は鳴る』のバーグマンの美しさはため息がでるほどです。この映画の中のナチュラル感のあるおしゃれは、バーグマンの瑞々《みずみず》しい美しさをいっそう際立たせています。

アメリカの女性たちに好まれた髪型

THE HISTORY OF BEAUTY 23

# 世界を魅了した永遠の妖精
# オードリー・ヘプバーン

AUDREY HEPBURN

可憐《かれん》で気品に満ちた女優オードリー・ヘプバーン（一九二九年〜一九九三年）。一九五〇年代のシネ・モードは、彼女の登場によって大革命が起こりました。それまでは大柄でボリュームのある女優が全盛でしたが、オードリーは華奢《きゃしゃ》で顔立ちも今までの面長《おもなが》の美人とは違う、個性的な魅力をもった女優でした。

オードリーが最も活躍していた一九五〇年代、私は十代後半でしたが、淀川長治《よどがわながはる》が編集長を務めていた雑誌『映画の友』を愛読し、映画を次々と観《み》ていました。そんな私にとってオードリーは、憧《あこが》れの存在そのものでした。数多くの名作に出演したオードリーですが、最も印象に残っているのは『緑の館』というファンタジー映画です。清々《すがすが》しい青年役のアンソニー・パーキンスと森の妖精《ようせい》のような少女の夢のような恋物語でしたが、初恋の甘ずっぱい雰囲気《ふんいき》が印象的で、今でも映画のワンシーン、ワンシーンが美しく甦《よみがえ》ってきます。

また、この映画に出演している早川雪洲《せっしゅう》は、私の父（ハリウッド化粧品株式会社の創業者、牛山清人）がハリウッド撮影所で役者修業をしていた時の師匠《ししょう》でしたので、よけいに印象に残っているのでしょう。

オードリーは、一九五三年制作の『ローマの休日』で、世界中の人々を虜《とりこ》にします。この映画の中で彼女が演じているアン王女が、美しい長い髪を惜し気もなくカットして、斬新なショートヘアにするシーンがあります。このヘアスタイルが世界的に大ヒットしました。この男の子のようなヘアスタイルは、イタリアン・ボーイ・カットと呼ばれました。

また、一九五四年の映画『麗《うるわ》しのサブリナ』でも新しいヘプバーン・カットを発表し、これも流行します。この髪型は前髪をボブにして、両サイドを後ろに引いて耳を完全に出すスタイルでした。ボーイッシュ・ボブの一種で、カジュアル・ガマン・カットとも呼ばれました。また、オードリーのメイクの中で特徴的なのは、太い眉《まゆ》です。この眉の描き方は、日本でも大流行しました。

オードリーのファッションは、公私ともにジヴァンシーが担当しました。ジヴァンシーがつくり出すエレガントなファッションは、オードリーにとてもよく似合っていて、『ティファニーで朝食を』や『シャレード』といった映画に登場するおしゃれなファッションに、私たちファンは胸をときめかせたものです。

一九五六年になると、少しずつ長めの髪が流行しはじめます。そしてそれは、ブーファン・スタイルと呼ばれました。ブーファンというのは、ふくれたという意味ですが、ビー・ハイブ（蜂《はち》の巣）・スタイルを短くした感じのものから、次第にショートで内巻《うちま》きスタイルに変化していきます。

一九五七年にはカリプソ・リズム（カリブ海の音楽のリズム）にのって原色を使ったメイクが登場し、カリプソ・メイクが流行します。口紅や頬紅《ほおべに》などに赤いものをまったくつけずに、眉と目にだけアクセントをつけたメイクで、グレーかグリーンのアイシャドーをつけてアイラインを強烈《きょうれつ》に描きます。眉はかなりつり上げて描きます。日本では『バナナ・ボート』の歌とともに、カリプソガールとして浜村美智子が人気を集めていました。

同じ頃、パリのアントワーヌという美容師が、日本の歌舞伎《かぶき》の隈取《くまど》りからヒントを得たアイシャドーを売り出して評判となりました。また、世界中の化粧品会社はクリームの新製品を続々と発表し、口紅も赤を中心にして何種類もつくられるようになりました。

晩年、オードリーはユニセフ親善大使として紛争《ふんそう》地域を訪れ、過酷《かこく》な状況に置かれている子どもたちに笑顔を届け続けました。私は、晩年の彼女を本当に美しいと思います。慈愛《じあい》に満ちた、温《あたた》かなまなざし、そしてやさしい笑顔に、〝真の美しさ〟を感じます。こんな風に美しく年を重ねていきたいと思える、まさに憧れの存在そのものです。

イタリアン・ボーイ・カットのオードリー・ヘプバーン。可憐さが際立っている

1950年代の髪型と
ヘア・アクセサリー

THE HISTORY OF BEAUTY 24

# 新しい女性像を打ち出した女優
# ブリジット・バルドー

BRIGITTE BARDOT

ブリジット・バルドーは一九三四年に、航空会社の経営者の娘として、パリに生まれました。とても裕福な家庭で育ったバルドーは、幼い頃からバレエのレッスンを受け、難関校として知られるパリ国立音楽演劇学校のバレエ科に入学します。バレリーナになることを夢見ていたバルドーですが、十六歳の時、ファッション誌のモデルに起用されたのをきっかけにして、大きく方向転換することとなります。

かねてからバルドー家と親交があり、のちに映画監督となったロジェ・ヴァディムは、美しく成長したバルドーに女優としての才能を見出します。そして彼の熱心なすすめによってバルドーは女優になる決心をします。その後、ロジェ・ヴァディムが二十五歳、バルドーが十八歳の時に二人は結婚。ヴァディムは助監督としてキャリアを積む傍《かたわ》らバルドーの売り込みに奔走《ほんそう》し、バルドーと二人三脚で大スターへの道を進んでいきました。

女優としてキャリアを積んでいったバルドーは、一九六〇年代にはフランス映画界のスターとしての地位を揺《ゆ》るぎないものとします。彼女は、〝ファム・アンファン〟つまり〝子どもっぽい女〟と呼ばれ、世界中の人々の心をとらえました。そして小悪魔的《こあくまてき》な魅力を身にまとい、役柄《やくがら》も古いしきたりや道徳にとらわれない、自《じ》由奔放《ゆうほんぽう》な女性を演じました。また私生活においても、スクリーンの中の彼女を地でいくような自由な生き方をします。バルドーは、三十九歳でスクリーンを去り、その後は動物愛護の熱烈な支持者となって活発に活動しています。

さて、バルドーが活躍した時代のヘアモードをお話ししましょう。彼女はヘアモード界に大きな影響を与えました。次ページの写真の髪型は、一見、無造作《むぞうさ》に束ねたかのように見えますが、実は計算しつくされています。これまでのように型どおりにきちんと整えるスタイルとは一線を画《かく》した、まったく新しいヘアスタイルです。彼女は元々ブルネット（濃い茶色）の髪色の地味な少女でしたが、天才的なヴァディム監督によって、ブロンドの自由奔放な女性というイメージにつくりかえられ、大スターとなります。

ブリジットの髪型は、コワフュール・ア・ラ・ベー・ベー、コワフュール・ア・ラ・デコワッフェと呼ばれます。ベー・ベーは彼女の愛称のB《べ》・B《べ》のことで、デコワッフェは、〝乱れたとか、崩《くず》れた〟という意味です。彼女のヘアデザインは、ジャック・デサンジュが担当しました。背中に垂《た》らした長い髪とわざと不揃《ふぞろ》いにして顔のまわりを縁《ふち》どった乱れ髪風のスタイルが若い女性たちの心をとらえ、流行しました。

次にファッションとメイクについてお話ししましょう。一九六〇年代は若い人の時代といわれますが、マリー・クワントがデザインしたミニ・スカートやフォークソングが流行します。その後、ミリタリー・ルック（軍服風《ぐんぷくふう》のファッション）が流行し、化粧品にはアバンギャルド（前衛的《ぜんえいてき》）な色彩が取り入れられるようになります。

　また、エリザベス・テーラー主演の映画『クレオパトラ』（一九六三年）の影響で、黒い髪と長めのアイラインを引いたメイクアップが流行《はや》ります。このメイクの場合、口紅は鮮《あざ》やかな紅を用いました。この時代はファンタスティック（幻想的《げんそうてき》）なアイメイクが流行り、目のまわりにカラーペンシルで美しいデザインを描いていました。色化粧も行われ、それまで決して見られなかった白いアイシャドウや白い口紅が登場します。バルドーがチャーミングな唇《くちびる》に、白っぽい口紅や淡《あわ》いピンクの口紅を塗って、奔放な美しさを表現していたのがとても印象的でした。この頃には口紅が少女たちにも手が届くような値段になります。日本でも一本、何百円という口紅が売り出され、話題になったのを記憶しています。

乱れ髪風のヘアスタイルが、バルドーの小悪魔的な魅力を演出

1950年代後半に流行した
Y字ラインのドレス（左）

　私は六十代になって、あらためてバルドーの映画を見直して、新たな発見がありました。若い時には気がつきませんでしたが、彼女の真摯《しんし》さ、純粋さ、聡明《そうめい》さといったものがスクリーンを通して伝わってきたのです。そして昔、感じたのとは違う感動がありました。また、現在のバルドーを見て、よい人生を歩んでいらっしゃる、そういうお顔をなさっていると思いました。奔放な女優を演じていたブリジット・バルドーという女性に感服しました。

THE HISTORY OF BEAUTY 25

# 日本史上初めての女性統治者
# 卑弥呼

HIMIKO

倭国《わこく》の女王、卑弥呼《ひみこ》（一七〇年頃～二四八年頃）は、謎《なぞ》に包まれた部分が多く、生没年や出生地などはよくわかっていません。卑弥呼は、幼い頃から霊能力をもち、神の言葉を聞くことができたといいます。そして争いごとの絶えなかった世をたちまち治《おさ》めました。二三九年、魏《ぎ》（現在の中国）に使者を遣《つか》わしたとき、魏の王から「親魏倭王《しんぎわおう》（魏と親しい倭〈日本〉の王）」という称号と金印を与えられました。

卑弥呼は柵《さく》に囲まれた大きな宮殿に住んでいました。そこには千人におよぶ女性の召使がいましたが、卑弥呼の姿を見たものはほとんどいませんでした。たった一人だけいた男性の召使が卑弥呼の身のまわりの世話をしたり、彼女の命令を人々に伝えるなどしていました。また、卑弥呼は一生独身で過ごしましたが、弟がいて政治を助けていました。

卑弥呼が亡くなると大きな墓がつくられました。そして卑弥呼の亡骸《なきがら》とともに、卑弥呼に仕《つか》えるための召使が百人余り、生きたまま葬《ほうむ》られました。卑弥呼亡《な》き後、男性が王になると、たちまち争いごとの絶えない世となりました。しかし卑弥呼の養女で、十三歳になる台与《とよ》が女王になると、争いは鎮《しず》まり、邪馬台国《やまたいこく》に再び平和が戻りました。

さて、卑弥呼が活躍していた弥生《やよい》時代、女性は垂髪《たれがみ》という髪型をしていました。垂髪というのは、髪を真ん中分けにし、背中のほうに垂《た》らした髪型をいいます。卑弥呼は垂髪にした髪に、巫女《みこ》の印である白や赤の鉢巻《はちま》きをしていました。鉢巻きには、頭を締めることによって、精神の統一を図《はか》る働きがあったようです。

次に化粧についてお話しします。日本における化粧の起源は、縄文《じょうもん》時代にまで遡《さかのぼ》ります。現代では、美しく装《よそお》うことが化粧の主な目的になっていますが、古代には魔よけであるとか、そういった呪術的《じゅじゅつてき》な意味合いが強かったようです。

縄文時代の土偶《どぐう》や古墳《こふん》時代の埴輪《はにわ》をよく見ると、顔や身体にベンガラ（酸化鉄）などの赤色《せきしょく》顔料《がんりょう》で化粧が施《ほどこ》されているのがわかります。このことから、当時の人々が赤い顔料を使った化粧、すなわち〝赤化粧〟をしていたと推察することできます。

ここで〝赤〟という色彩のもつ意味について、おさえておきましょう。赤は、悪いものから身を守る力をもっていて、太陽の色、炎の色、血液の色であり、生命につながっていると信じられていました。こうした信仰から赤化粧は生まれたのです。また、日本人の皮膚の色は元来、黄色ではなく赤茶系だったので、赤化粧の色合いが肌に合っていたこともあるのでしょう。大変好まれて、六世紀頃まで赤を基調としたメイクが続きました。そして徐々に赤く塗る部分が限定されて、鼻先や目のまわり、あるいは耳のまわりなどの部分化粧になっていきます。

化粧をした人たちの性別は、古墳時代までは男性のほうが圧倒的に多く、社会的地位が低い者がしたようです。しかし例外として神に仕える者は、神聖な肉体になるために化粧をしたということです。これらのことを考え合わせると、卑弥呼はおそらく部分的な赤化粧をしていたのではないかと思われます。

次に服飾についてお話ししましょう。弥生時代の女性は、貫頭衣《かんとうい》という、長方形の麻布《あさぬの》を二つ折にし、折った部分の中央に頭を通すための開口部を設《もう》けた衣服をまとっていました。またこの頃には、絹織物製の袖《そで》つきの衣服もつくられるようになり、身分の高い女性は、日本茜《あかね》や貝紫で染めた色鮮《あざ》やかな衣服を身にまとっていました。

貫頭衣を身にまとった卑弥呼。〝赤〟には魔ものを祓《はら》う力が宿っているという

玉飾りは、石器時代にすでに発達していて、単なる装飾品というよりも、呪力《じゅりょく》や権威《けんい》の象徴《しょうちょう》として用いられていました。材料には動物の牙《きば》、歯、翡翠《ひすい》、琥珀《こはく》、瑪瑙《めのう》、ガラスなどが使われ、形は丸玉、小玉、管玉《くだたま》、勾玉《まがたま》などがありました。勾玉の形の由来は、動物の牙とも、胎児《たいじ》の形ともいわれていますが、いずれにしても、それらのもつ生命力や霊的な力にあやかりたいという気持ちから、その形が取り入れられたと考えられます。

　このように卑弥呼が生きた時代は、美容やファッションが呪術的要素と密接に関連していました。

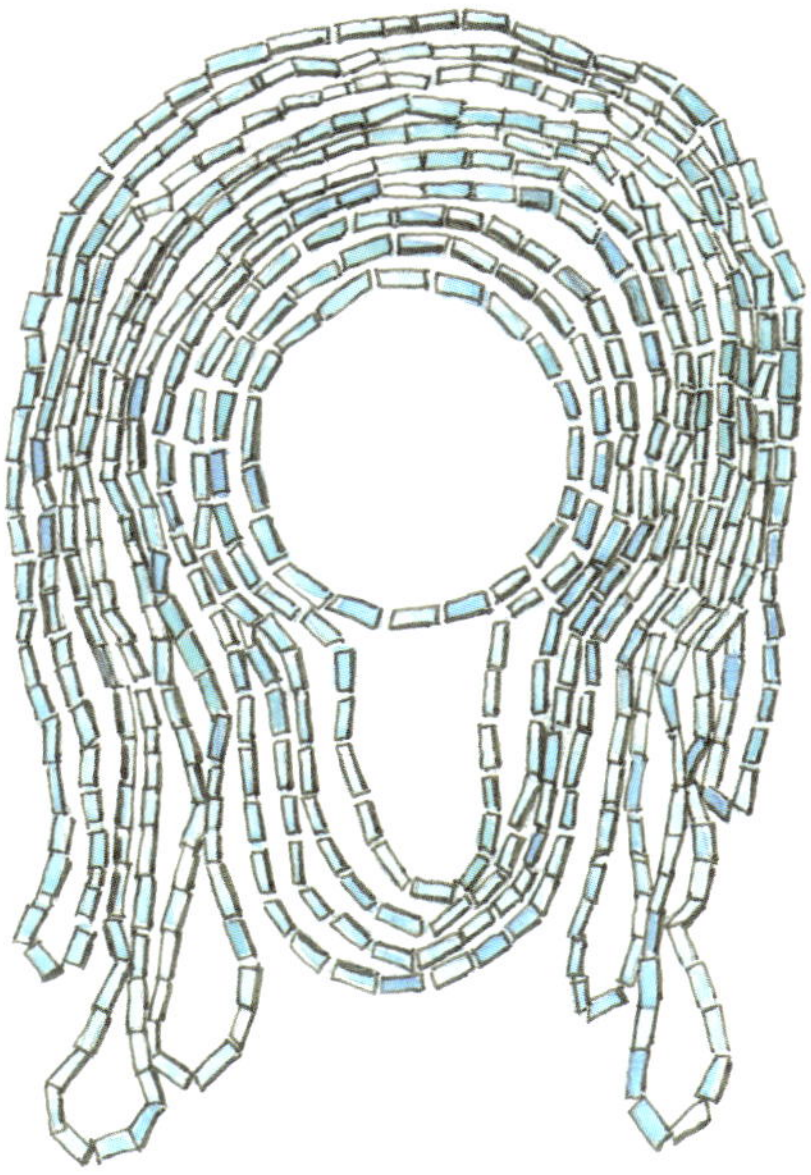

弥生時代の管玉の首飾り。管玉の１つの長さは7ミリから23ミリほど

# 万葉集を彩る情熱の女流歌人
# 額田王

NUKATANO OOKIMI

額田王《ぬかたのおおきみ》は、七世紀後半頃に活躍した女流万葉《まんよう》歌人《かじん》です。生没年はわかっていません。

額田王は鏡王《かがみのおおきみ》の息女として生まれ、のちに天武天皇となる大海人皇子《おおあまのおうじ》の愛を受けて十市皇女《とおちのひめみこ》を生みました。その後、中大兄皇子《なかのおおえのおうじ》（のちの天智天皇で、大海人皇子の兄）に愛され、近江大津宮《おうみおおつのみや》に仕えました。二人の皇子に愛された額田王は、情熱的で賢《かしこ》い女性であったことに加え、霊的な能力をもっていて、皇子たちに助言することもあったようです。

額田王が詠《よ》んだ歌は、万葉集の中で群を抜いて多く、質的にも優《すぐ》れた作品ばかりです。力強く格調高い歌、情熱的な息づかいが聞こえてくるような歌、落ち着いた愛の歌、しみじみと思い出に浸《ひた》る歌など、額田王の感性の豊かさを物語るかのように多彩です。そして和歌の世界において、初めて春秋の景物を趣味的にとらえて歌を詠んだのも彼女で、多くの傑作を残しています。

あかねさす紫野行《むらさきのゆ》き標野行《しめのゆ》き
野守《のもり》は見ずや君が袖振《そでふ》る
額田王

紫《むらさき》のにほへる妹《いも》を憎くあらば
人妻ゆゑにわれ恋ひめやも
大海人皇子

この二つの歌はとても有名ですが、恋する二人の心模様を鮮《あざ》やかに映し出したロマンチックな歌です。

さて、この頃の宮廷の女性たちは、どのような装《よそお》いをしていたのでしょうか。メイクとヘアを中心にお話ししていきます。飛鳥時代（五九二年～七一〇年）は、大陸文化の影響を強く受けながら、おおらかで華やかな文化が花開いた時代でした。中国と韓国の文化を手本にしていたことから韓唐模倣《かんとうもほう》時代とも呼ばれ、韓国と中国の風俗、化粧、髪型の文化をそのまま取り入れていました。白粉《おしろい》や紅《べに》、お香《こう》といった化粧品も大陸から輸入されていました。

この時代、宮廷の女性たちにとって大陸から渡来したものは、憧《あこが》れの対象そのもので、積極的に取り入れておしゃれを楽しんでいました。彼女たちにとってのファッションリーダーは、唐《とう》の楊貴妃《ようきひ》でした。そして楊貴妃がふくよかだったことで、健康的でふくよかな顔に憧れをもっていました。そのためこの時代は、頬を豊かに、そして顔を広く見せるために、頬に膨張色《ぼうちょうしょく》の黄赤《きあか》を塗り、眉《まゆ》も濃く、ダイナミックに描いていました。

天皇を日《ひ》の御子《みこ》とお呼びし、皇太子を日嗣《ひつぎ》の御子とお呼びしたこの時代、太陽は崇《あが》め奉《たてまつ》るべき最高位の象徴でした。そのため化粧も太陽に近い赤い色が好まれました。こうした明るく健康的な化粧法は、万葉集に収められたおおらかで生命力にあふれた歌に通じるものを感じさせます。

化粧法で、もうひとつの特徴として挙《あ》げられるのが、蛾眉《がび》と呼ばれる眉の描き方です。ゆるやかにカーブする蛾の触角《しょっかく》の美しいフォルムを真似て眉を描いていました。具体的に説明しますと、眉の上側のへりを毛抜きなどを使ってくっきりとした曲線に整え、下側は眉墨で描いてぼかしていました。このような眉の描き方を〝岸《きし》立《だ》て〟といいますが、日本では眉を剃《そ》るときに、「上は剃ってもいいが、下の方は剃ってはいけない」と昔からいわれる習わしがあります。その起源にもなっています。

さらに特徴的な化粧法を挙げますと、花鈿《かでん》と靨鈿《ようでん》があります。花鈿と靨鈿は、額の中央や唇《くちびる》の両脇に花などの模様を描いたり、点をつけたりするポイントメイクの一種です。いずれも中国から伝えられたもので、唐では身分の高い女性の身だしなみとされていたそうです。

イラストの額田王の髪型は、頭上二髻《ずじょうにけい》と呼ばれ、頭上に二つの髻《もとどり》がつくられ、髻の根元が並ぶようにつくられています。イラストAの髪型は、頭上一髻《ずじょういっけい》と呼ばれ、この場合は垂髪《たれかみ》の上に髷《まげ》を一つつくっていますが、女神像にこの髪型が多く見られます。

額田王の時代、最先端のおしゃれは大陸風

A　頭上に髷を１つつくり、垂髪にした〝頭上一髻〟という髪型

前項でご紹介した卑弥呼の時代は、悪を祓《はら》い呪力《じゅりょく》を高めるといった呪術的な目的で化粧が行われていましたが、飛鳥時代になるとその意味合いは薄れ、身だしなみとしての装いといった意味合いが強くなってきます。女性がおしゃれを楽しむようになったのは、この頃からといえます。

おおらかでロマンの息吹《いぶき》が感じられる飛鳥時代は、私にとって憧れの時代です。またいつか奈良の地を訪れて、万葉の時代に浸りたいと思っています。

THE HISTORY OF BEAUTY 27

# 貴族社会を描いた女流作家
# 紫式部

MURASAKI SHIKIBU

紫式部《むらさきしきぶ》は平安中期の女流作家、歌人で、『源氏物語』『紫式部日記』『紫式部集』の作者として、あまりにも有名です。生没年はわかっていませんが、誕生は九七〇年代頃とされています。

父、藤原為時《ふじわらのためとき》は、東宮の読書役をはじめ、花山天皇の蔵人《くろうど》、式部大丞《しきぶだいじょう》を歴任し、後年には一条天皇に詩を奉じて越前国《えちぜんのくに》の受領《ずりょう》となった人物で、紫式部は、文学的環境に恵まれて育った様子がうかがえます。幼い頃から優《すぐ》れた才能をもっていたようで、彼女の兄が史記を習っていたとき、隣室にいた紫式部が兄より早く覚えたため、父親が「口惜《くちお》しう、男子にてもたらぬこそ幸なかりけり」と嘆《なげ》いたという逸話《いつわ》が残っています。紫式部は九九八年頃、山城守藤原宣孝《ふじわらののぶたか》と結婚し、翌年には賢子《けんし》を授《さず》かりました。しかし一〇〇一年に宣孝が亡くなり、一〇〇五年頃、一条天皇の中宮彰子《ちゅうぐうしょうし》のもとに出仕しました。

日本文学史上、最高傑作《けっさく》といわれる『源氏物語』は、一〇〇八年頃には完成していたとされています。その執筆は紫式部のライフワークで、彼女の学識、才芸、教養はもちろん、その時代の体験がすべてこの物語に集約されています。

さて、この時代の宮廷の女性たちはどのようなおしゃれをしていたのでしょうか。美容文化を中心にお話ししましょう。

九世紀の末に遣唐使《けんとうし》が廃止されたことで、大陸文化の流入が途絶え、日本独自の文化が発達しました。美容文化では、代表的なものとしては、白粉《おしろい》、眉抜《まゆぬ》き、お歯黒《はぐろ》が挙《あ》げられます。

お化粧は、顔にハラヤ（水銀系の白粉）やハフニ（酸化鉛系の白粉）を塗る白化粧が普及しました。これを糸瓜《へちま》の水で練《ね》って顔に塗りつけますが、まだクリームや乳液が発明されていなかったため、乾くとポロポロとはがれてしまったそうです。なぜこのような白いメイクが流行《はや》ったかといいますと、宮殿の建築様式が関係しています。平安時代の宮殿は軒《のき》が突き出ている入母屋《いりもや》式で、内部は薄暗く、顔を白く塗らないとよく見えなかったそうです。

お歯黒は、鉄を酸で溶かしたものに、タンニンを多く含む五倍子《ふしこ》粉を混ぜ、これを歯に塗って黒く染めました。これには肌の白さを際立《きわだ》たせる効果のほか、虫歯予防の効果もあったようです。

女性の髪は、黒いほど、長いほど美しいとされました。髪は長く後ろに垂《た》らす大垂髪《おすべらかし》で、十五歳ぐらいになると鬢《びん》そぎをして白い顔を包むようにしました。鬢そぎというのは、額《ひたい》や頰の両側にかかる部分、肩にかかる部分などを短く切るヘアスタイルです。髪は、米のとぎ汁などで潤《うるお》いを与えながら櫛梳《くしけず》りました。また、髪を洗うのは大仕事で、現在のように頻繁に洗う習慣はありませんでした。

奈良時代は、自然の眉を生かした眉化粧がなされていましたが、平安時代になると、眉を全

平安貴族の女性。十二単を身にまとい、髪は大垂髪、眉はすべて抜いて別眉を引く

平安時代、女性の髪は黒いほど、長いほど美しいとされていた

部抜いて、額の部分に別眉《べつまゆ》を引くのが一般的になりました。眉の引き方は二十種類もあり、性別、年齢、身分、階級によって微妙に異っていました。若い女性は茫眉《ぼうまゆ》といって眉墨《まゆずみ》で点をつけ、その点を左右に引っぱるようにしてぼかしました。年配の官女はまっすぐな一文字眉《いちもんじまゆ》をつくりました。

爪化粧《つまげしょう》もこの時代に行われていました。爪紅の原料になったのは鳳仙花《ほうせんか》で、その花弁をつぶして発酵させ、にじみ出た液を爪に塗って磨きました。これを何度もくり返すと、水につけても一週間はとれなかったということです。十二単の袖からちらりと見える爪化粧の赤い色は、さぞかし魅力的であったことでしょう。

また、忘れてならないものに、香りの化粧があります。香《こう》を焚《た》き、伏籠《ふせご》という籠《かご》を被《かぶ》せ、その上に衣服を被せて香りを移しました。当時は竜脳《りゅうのう》や樟脳《しょうのう》、白檀《びゃくだん》などのさわやかな香りが好まれていました。

以前、平安貴族の女性が身にまとっていた十二単を見る機会がありました。実に美しい色合いで、そのすべてが自然な感じで気品がありました。私は、日本人の色に対する感性の高さに驚き、感激しました。

紫式部が活躍した平安時代は、国風《こくふう》文化が花開いた時代です。大陸から渡来した文化を模倣《もほう》することから離れ、日本独自の文化が誕生し、発達した時代です。同様に女流文学も大きく花開き、文学的才能のある女性が重用されました。そうした時代の中で、紫式部は、国風文化を象徴するような存在といえるでしょう。

THE HISTORY OF BEAUTY 28

# 戦国の世のヒロイン
# 諏訪姫

SUWAHIME

諏訪姫《すわひめ》（一五三〇年〜一五五五年頃）は、戦国時代の武将、武田信玄《たけだしんげん》（一五二一年〜七三年）の側室《そくしつ》で、戦国の世の美女と謳《うた》われた人物です。正式な名前は不明で、諏訪の美しい女性という意味の〝諏訪御料人《すわごりょうにん》〟の名で呼ばれることもあります。

諏訪姫は一五三〇年、信濃国《しなののくに》の大名《だいみょう》、諏訪頼《より》重《しげ》の息女として生を受けました。頼重は、信濃侵攻《しんこう》を本格化させていた武田信玄に滅ぼされ、一五四二年、自刃《じじん》させられています。

諏訪姫は、信玄の求愛を受けて側室となり、やがて信玄を愛するようになりました。そして、長男、勝頼を得てからは幸せな日々を送ります。武田家に嫁《とつ》いだのが十二、三歳の頃、勝頼を産んだのは十五、六歳ですが、一五五五年、二十四、五歳のうら若い身で他界《たかい》します。

数奇《すうき》な運命をたどった伝説の美女、諏訪姫。彼女は戦国の世のヒロインとして、武田信玄が登場する小説や時代劇には必ずといってよいほど登場し、今なお人々の心を惹《ひ》きつけています。私も、信玄をめぐる女性たちの中で最も心惹かれるのは諏訪姫です。

歴史小説『武田信玄』の作者は新田次郎《にったじろう》ですが、彼は私の父（ハリウッド化粧品の創業者、牛山清人）の従兄弟《いとこ》で、諏訪の出身です。『武田信玄』を読むと、諏訪の風土や歴史、そして諏訪姫のことがとても丁寧に描き込まれているのがわかります。そして、新田次郎の諏訪に対する郷土愛と、諏訪姫に対する温かなまなざしが感じられます。

さて、戦国の世に生きた女性たちは、どのような装《よそお》いをしていたのでしょうか。この時代には、化粧というものが人々の間にすっかり定着していました。室町時代に書かれた『嫁入記《よめいりき》』には、嫁入道具のひとつとして次のように記されています。

「手箱の内に小箱四つあり、その内に入物。一にはおしろい、一にはたうのつち。一にはまゆずみ。一にはわけめのいとなどのやうのおけはひぐそくのたぐひ入物なり。」

文中の〝おしろい〟は水銀白粉《すいぎんおしろい》を指し、〝たうのつち〟とは鉛白粉《なまりおしろい》のことを指しています。〝わけめのいと〟は髷《まげ》の結び目に使う糸。〝おけはひぐそく〟は〝お化粧具足〟と書き、文字どおり化粧道具のことをいいます。このように化粧道具は嫁入りの際にも欠かせないものになっていました。

お歯黒《はぐろ》も、平安時代と同様に行われていました。お歯黒の原料として五倍子《ふし》が使われていますが、五倍子というのは白膠木《ぬるで》の芽や葉についたアブラムシがつくる瘤《こぶ》のことで、その外皮の粉を酸化鉄に混ぜてお歯黒の液、鉄漿水《かねみず》をつくりました。鉄漿水を塗る前には楊子《ようじ》で歯を磨きます。当時は歯磨き粉はなく、焼き塩を用いていました。塩には収斂《しゅうれん》作用があるので、歯ぐきの

垂髪に鬢そぎ（額や頬の両側にかかる部分、肩にかかる部分などを短く切ること）をしたヘアスタイルの諏訪姫

健康維持にも効果がありました。

鎌倉時代以降、武家社会になると、女性の装いにも変化が現れ、化粧、髪型、衣服などが薄く軽やかになってきます。貴族社会において白粉は、ただ白いだけでしたが、戦国時代には、白粉の中にいろいろな色を混ぜることが流行《はや》ります。特に堺《さかい》の薬問屋、小西清兵衛らは、地肌の色を活《い》かす時代の潮流を反映して、紅を多く入れた白粉を「小西白粉《こにしおしろい》」として売り出しました。

この当時の化粧は、平安時代の伝統を受け継ぎながら、目鼻立ちをくっきりと強調するのが特徴です。メイクのポイントをもう少し詳しくお話ししましょう。

白粉をつけた上に、現在でいうアイラインを引きます。眉《まゆ》は本眉を剃《そ》り落として額に別眉を描く高眉から、次第に本眉を残すようになっていきます。『大上《おおじょう》﨟御名之事《ろうおんなのこと》』には、「ぼうまゆのほど、ほんまゆのしたばかりとるなり」とあります。口紅はきりっとつけ、頬紅《ほおべに》はなく、表情を引き締めて輪郭《りんかく》をはっきりさせるのもポイントのひとつです。

また戦国時代には、男性もお化粧をしていた公家の文化が武家社会にも広がり、地方の武士にも白化粧をする例が見られようになります。そして、敵に首を取られても見苦しくないようにという武士の美学によって、戦いに行く武士は、白粉を塗り、眉を引くようになりました。なかには口紅やお歯黒をつける者もいて、本格的なお化粧をしていた様子がうかがえます。天正十八年（一五九〇年）、豊臣秀吉の軍が小田原城に総攻撃を加えて北条氏を滅ぼしましたが、その時、北条方の武士全員が白粉とお歯黒をつけており「これでは男か女かわからない」と秀吉を驚かせたといいます。

京都の公家の間では、武家政権が誕生し、足利時代、戦国時代、江戸時代と移っていく中でも細々と白化粧は続いていました。しかし、明治五年（一八七二年）に断髪廃刀令《だんぱつはいとうれい》が発令されたことで姿を消しました。

武田信玄の浮世絵より

THE HISTORY OF BEAUTY 29

# 粋で斬新なファッションを生んだ 出雲阿国

IZUMONO OKUNI

出雲阿国《いずものおくに》は歌舞伎の創始者とされる女性芸能者で、生没年は定かではなく、安土桃山時代（一五七三年〜一六〇三年）と伝えられています。阿国伝説の集大成ともいうべき『出雲阿国伝』によれば、阿国は出雲国杵築《きつき》の鍛冶《かじ》職、中村三右衛門の娘で、永禄年間（一五五八年〜一五七〇年）の頃、出雲大社修復勧進のために諸国を巡回した際、美しいうえに神楽舞《かぐらまい》も上手だったことから人気を集めたということです。そして京に上って歌舞伎踊《かぶきおど》りを考案し、織田信長や豊臣秀吉、越前中納言秀康などに召し出されて、寵愛《ちょうあい》を受けたと記されています。

また阿国は、初めて男装した勇気ある女性としても知られています。当時流行《はや》っていた男伊達風の男装をして歌舞伎踊りをし、京中の人気を集めたという記録があります。また、歌舞伎踊りを愛好した武将、名古屋山三郎《さんさぶろう》と二人で、全国にこの踊りを広めたという伝説も残っています。阿国の晩年の様子はよくわかっていませんが、華やかな江戸の文化は、斬新で勢いに満ちた阿国歌舞伎とともに幕を開けることになります。

さて、阿国が活躍した頃の美容文化はどのようなものだったのでしょうか。ヘアスタイルとファッションを中心にお話ししましょう。

阿国が愛好した唐輪髷《からわまげ》は、十六世紀末（天正頃）から結《ゆ》われはじめます。この唐輪という名は古くからありましたが、この時代に多くいた異国の人々がこれに似た髷を結っていたことから、この唐輪によく似た異国の人の髷を真似《まね》てこの名称が残りました。頭上につくられた髪の輪の根元をあまり毛で巻いたもので、輪は二つか四つに分かれているところが特徴です。阿国がこの少年のような髷を結ったところ、たちまち遊女たちが真似をして大流行となりました。

また、江戸時代に入る直前頃には、武士の髪型にも変化が生まれ、丁髷《ちょんまげ》が出現します。丁髷は武芸者の象徴である冑《かぶと》を頭にのせる時に邪魔にならないように髪を剃《そ》り、左右の髪を頭の真ん中で束ねたものです。丁髷という呼び方は、後ろから見た形が〝丁〟という字に似ていることからそう名付けられました。〝ちょん〟という読みは、中国語の読み方です。

化粧は、江戸時代の初期頃から白粉《おしろい》を塗ることは婦人のたしなみとされ、贅沢《ぜいたく》なものではなく、徐々に化粧をする層が広がっていきました。その塗り方も肌に合わせて変え、身分、職業、年齢、場所などによっても変えるようになりました。

衣服にも変化が見られました。小袖《こそで》は袖口の小さい衣服で、礼服の大袖に対して平服であり、また下着でもありました。奈良時代までは男女とも小袖は表着《おもてぎ》でしたが、平安時代に入ると庶民の平服として用いられたほか、武家装束《ぶけしょうぞく》の下着や肌着としても用いられるようになりました。

平安時代の末期になると、再び表着として用いられるようになり、白や無地だったものが多彩な色ものとなり、模様も工夫されるようになりました。こうして貴族や庶民から表着として取り入れられるようになったことでファッション性が重視されるようになり、袖口も広く丈《たけ》も長くゆったりとして、品格をもつようになりました。そして染織技術の発達とともに、小袖の豪華な絵模様が完成されていきます。

一方、袿《うちぎ》は礼装用の衣服として用いられ、一枚でも上に着ることが平安末期から鎌倉時代以後も引き継がれましたが、小袖の全盛時代になると、小袖を着た上にさらに別の小袖を羽織《はお》るようになりました。これを打掛《うちかけ》と呼び、武家の夫人の正装として長く用いられるようになりました。

唐輪髷を結った阿国。たちまち遊女たちが真似をして大流行となった

小袖の全盛時代には、白小袖、紫小袖、染付小袖《そめつけこそで》、紅梅紅筋《こうばいくれないすじ》の小袖、箔《はく》の小袖、打掛の小袖、衣被《きぬかづき》の小袖などがありました。白小袖は最も気品のあるもので、貴族、武士の妻女や年長の女子が用い、紫小袖は紫色で、旧暦の十月一日に着る習慣がありました。染付小袖は藍《あい》で細かい文様を染め出したもので、広く用いられました。また、紅梅紅筋の小袖は織色、織筋、染色など種類が多く華やかで、上流の若い女性に用いられました。箔の小袖は金銀の箔をおいた豪華なもので、安土桃山時代の初めにかけて用いられました。

この時代の髪型、化粧、服飾の文化は実に多彩で、日本の美容文化の全盛期の幕開けといってよいでしょう。豪商が成長し、その富を背景とした豪華な文化が花開いたこの時代、粋で斬新なファッション感覚をもった阿国は、自由闊《かつ》達《たつ》に展開していく、新たな時代の幕開けにふさわしい存在だったといえましょう。

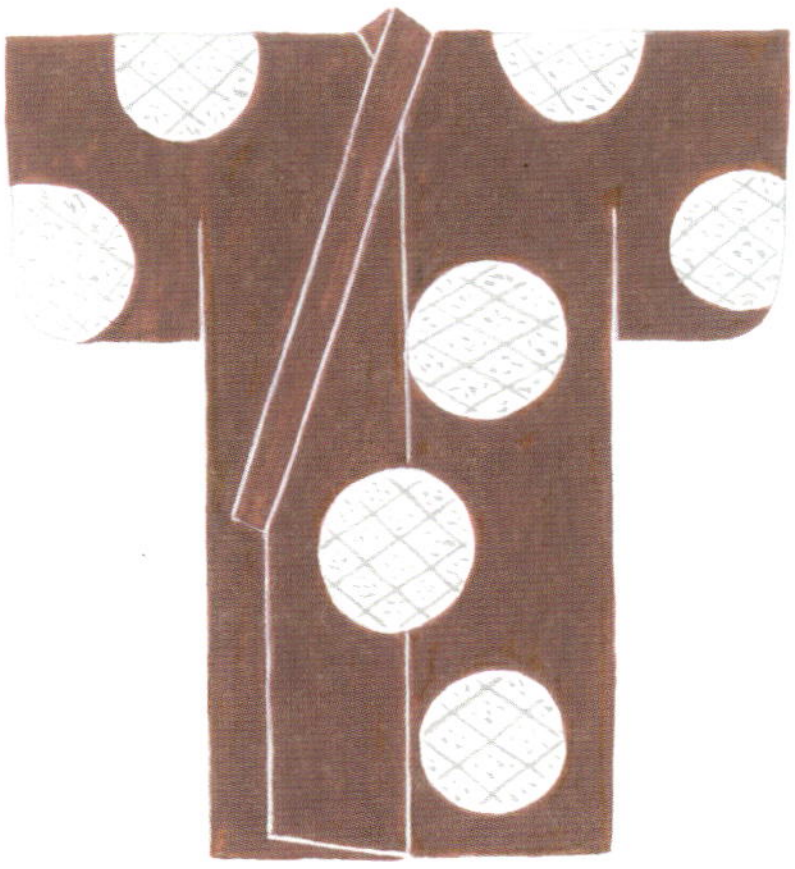
表着として着用された江戸時代初期の遊女の小袖。大胆な絵模様が描かれている

THE HISTORY OF BEAUTY *30*

## 江戸っ子たちのアイドル
# 笠森お仙

KASAMORI OSEN

笠森《かさもり》お仙《せん》は、宝暦元年（一七五一年）に、笠森稲荷《いなり》の門前《もんぜん》にあった水茶屋《みずぢゃや》「鍵屋《かぎや》」の娘として生まれました。十二歳頃から家業を手伝っていましたが、その美少女ぶりはたちまち評判となり、多くの客が鍵屋を訪れました。

当時活躍していた文人で狂歌師の大田南畝《おおたなんぽ》は、狂詩文『小説売飴土平伝《あめうりどへいでん》』に添えた戯文《げぶん》に、「琢《みが》かずして潔《きれ》いに、容《かたち》つくらずして美なり」「天の生《な》せる麗質《れいしつ》、地物《じもの》の上品」と、お仙の容《よう》貌《ぼう》について記しています。つまり、お仙はお化粧や髪飾りなどをしなくても美しい、生まれながらの美人だったようです。

お仙のうわさを聞きつけた浮世絵師の鈴木春信は、さっそく鍵屋を訪ね、お仙をモデルにした美人画を数多く描きました。美人画は、現代に置き換えると人気アイドルのポスターのようなものですが、お仙は美人画だけではなく、双《すご》六《ろく》（ゲーム）や絵草子《えぞうし》（絵入りの読みもの）、手鞠歌《てまりうた》、手ぬぐい、人形のキャラクターにもなっていて、その人気ぶりが伺えます。

しかし、明和七年（一七七〇年）頃、お仙は突然、姿を消してしまいます。その理由については様々な憶測《おくそく》がなされましたが、真相は、幕府旗本《はたもと》の倉地家に嫁いだことにありました。お仙は九人もの子宝に恵まれ、幸せに暮らしていたといいます。そして、当時としては長寿といえる七十七歳でこの世を去りました。

さて、江戸時代の美容文化はどのようなものだったのか、お話ししましょう。この時代のお化粧で特徴的なもののひとつに〝際化粧《きわげしょう》〟があります。際化粧は、額《ひたい》の生え際を美しく装《よそお》うためのもので、白粉《おしろい》や際墨《きわずみ》を塗ったり、余分な毛を抜いたりしました。襟足《えりあし》も同じように美しく装っていました。

眉《まゆ》は、これまで上流階級の女性たちは結婚すると眉を剃《そ》り落としていましたが、江戸時代には一般女性も眉を剃り落とすようになりました。また、寛文年間（一六六一年～一六七二年）に紅花《べにばな》が大量につくられるようになると、上流階級の女性だけでなく、庶民の娘たちも紅を用いるようになりました。

白粉は、江戸時代の初めまで御所白粉《ごしょおしろい》と京白粉の二種類があり、慶長年間（一五九六年～一六一五年）には、銭屋白粉、小西白粉などの白粉がありましたが、中期からはさらに多くの種類が出回るようになりました。白粉の塗り方も、身分、職業、年齢によって、それぞれ異なった方法がとられるようになりました。

化粧道具の種類も多くなり、白粉入れ、とき皿、刷毛《はけ》など、身分を問わず多くの女性が用いるようになりました。紅は一七三六年頃までは白粉に混ぜて顔に塗っていましたが、それ以降はもっぱら口紅として用いられるようになり、口紅のつけ方も大変工夫されました。

髪型は、垂髪《たれがみ》から髷《まげ》の時代へ移ります。江戸時代の女性の髷型は、三百種類以上もあるといわれていますが、実に多様に変化していきます。代表的なものに、兵庫髷、島田髷、勝山髷、笄《こうがい》髷などがあります。こうして髷が結《ゆ》われるようになったことで、髪飾りや整髪料も活発に発達することになります。

飛鳥時代以後、姿を消していた髪飾りですが、江戸時代に再び登場し、大流行しました。これは髪を結い上げるようになり、技巧を凝らすようになったことによるものです。江戸時代の初期は髪型も単純で、髪飾りもあまりなかったのですが、中期以後は飾《かざ》り櫛《ぐし》として多彩なものが登場しました。江戸時代に発達した簪《かんざし》は、髪飾りの中でも最も華やかな存在です。女性たちはその時どきの女心をたくして髪に簪を差していました。材質としては、木、象牙《ぞうげ》、鼈甲《べっこう》、馬爪《ばづ》、ガラスなどがありました。形は細身、幅広、楕円形など多種多様で、装飾法には漆《うるし》、蒔絵《まきえ》、螺鈿《らでん》、象嵌《ぞうがん》などのほかに、透《すか》し彫《ぼ》りや裏表に図柄が続く返し模様などがあります。

また、美髪料としては、蝋《ろう》と松脂《まつやに》を溶《と》かして混ぜ合わせ、香りをつけた伽羅油《きゃらのあぶら》がとても重宝《ちょうほう》されていましたが、一六九〇年頃からは一般にも普及するようになりました。水油《みずあぶら》は江戸時代の初め頃から使われるようになり、椿油《つばきあぶら》、ごま油、菜種油《なたねあぶら》などが用いられ、鬢《びん》付け油も使われるようになりました。美顔料として、糠《ぬか》や洗い粉が使われ、へちま水、花の露、江戸の水、京の水などが用いられました。

江戸時代の史料を見ていると、そのデザインや色遣《づか》いの巧《たく》みさに驚かされます。おしゃれが一般庶民の間にも広がり、浸透していった江戸時代。おしゃれを楽しむ町娘たちの姿が目に浮かんできます。

鍵屋の看板娘、お仙。髷を結い、櫛と簪を差している

江戸後期の町娘が用いたセルロイドの飾り櫛と簪。庶民にも手の届く値段になり人気を集めた

THE HISTORY OF BEAUTY 31

# 大奥の賢夫人 天璋院篤姫

TENSHOIN ATSUHIME

天璋院《てんしょういん》（一八三五年～一八八三年）は、江戸幕府第十三代将軍徳川家定の正室《せいしつ》で、のちに篤《あつ》姫《ひめ》と呼ばれました。今和泉島津家《いまいずみしまづ》第十代当主、島津忠剛《ただたけ》の娘として生を受け、嘉永六年（一八五三年）には島津斉彬《なりあきら》の養女となりました。安政三年（一八五六年）には右大臣近衛忠熙《このえただひろ》の養女となりましたが、一橋派の政治的思惑により、同年十一月、徳川家定のもとに嫁ぎました。しかし安政五年（一八五八年）七月、家定が急逝《きゅうせい》。これに伴《ともな》って落飾《らくしょく》し、天璋院と号しました。

慶応三年（一八六七年）、大政奉還となりましたが、その後に勃発した戊辰戦争《ぼしんせんそう》によって、将軍家は存亡の危機に立たされました。その時、天璋院は島津家や朝廷に働きかけ、将軍家を危機から救いました。慶応四年（一八六八年）、天璋院は江戸城無血開城を前に江戸城を去り、東京千駄ヶ谷の徳川宗家邸に居を移し、行き場を失った大奥の女性たちの面倒をみていました。また徳川家達《いえさと》の養育にあたっては、留学をはじめとする英才教育にも力を注ぎました。

さて、この頃の大奥の女性たちはどのような装いをしていたのでしょう。白粉《おしろい》は濃く塗り、眉《まゆ》は剃《そ》り落とし、お歯黒《はぐろ》を塗り、口紅は上下の色を変え、下唇《したくちびる》は玉虫色に光らせるのが流行《はや》りました。この手法はまず唇に墨《すみ》を塗り、その上に口紅をつけたということです。身分の高い女性たちにとって厚化粧は、重要な身だしなみのひとつとされていました。これは平安朝からの伝統ですが、豪華な衣装《いしょう》と釣り合いをとるためには、厚化粧をする必要があったのでしょう。

次のページの上のイラストをご覧ください。天璋院が結《ゆ》っている髪型は〝おまた返し〟と呼ばれるもので、姫君から正室になり、腹帯《はらおび》をするまでの髪型です。妊娠五ヵ月目に着帯の儀式があり、その時に振袖から留袖になり、同時に〝おまた返し〟も終わりとなります。天璋院は、夫家定が早世し実子を授《さず》からなかったことから、二十三歳まで振袖を着ていたということです。

大奥での大垂髪《おすべらかし》（下イラスト）は最上位の髪型で、上﨟《じょうろう》（高級女官。多くは公家出身者）以上の者に許された髪型です。儀式を執《と》り行う日などには、正室をはじめ、息女《そくじょ》、上﨟《じょうろう》、御年寄《おとしより》のほか、元服《げんぷく》した上﨟が二人ずつ長髢《ながかもじ》（長いつけ毛）を掛け、宮廷と同様に大垂髪にしました。その場合には眉を剃《そ》っている人も、公家の姫のように額《ひたい》に殿上眉《てんじょうまゆ》を描きました。

この大垂髪は平安朝のものとは異なり、宝暦年間（一七五一年～一七六三年）に祇園町から起った鬢差《びんざ》しを入れて、大きく両方の鬢をふくらませた〝燈籠鬢《とうろうびん》〟の形に、享和年間（一八〇一年～一八〇三年）から流行した前髪を立てる町方風《まちかたふう》を取り入れた結髪です。大奥では、宮廷風からさらに結髪の要素の強い武家風の大垂髪に分化した形で結われました。それは後ろは髷《まげ》の部分を解いてそれに長い髢をつけ足し、いく

〝おまた返し〟を結った天璋院篤姫。正室として、大奥を取り仕切っていた

武家風の大垂髪。髷の部分を解き、長い髢をつけ足している

つも結び目をつけた形です。

大奥は、将軍の私的生活の場で、男子禁制で数多くの女性の召使たちが組織をつくって将軍夫人や側室、姫君たちに一生奉公する所でした。本丸で寝起きする女性は二五〇人内外、西丸には一二五人ほどいたそうです。さらにこれを支える召使を加えると千人以上といわれています。

女性の召使には上﨟《じょうろう》御年寄《おとしより》、小上﨟《こじょうろう》、御年寄、御客応答、中年寄《ちゅうどしより》、中﨟《ちゅうろう》、御小姓、御錠口《おじょうぐち》、表使《おもてづかい》、御右筆《ごゆうひつ》、呉服之間ほか、二十以上もの階級があり、仕事が割り当てられていました。そして階級にふさわしい髪型や衣服、化粧などがなされていました。

大奥におけるおしゃれは、現在のような自己表現として、あるいは自分を魅力的にみせるためのものというよりは、身分を示すもの、身だしなみとしての性格の濃いものだったといえるでしょう。

THE HISTORY OF BEAUTY 32

# 激動期の首相を支えた 伊藤梅子

ITO UMEKO

文明開化は、美容文化に大きな変化をもたらしました。そこで初代内閣総理大臣を務めた伊藤博文（一八四一年〜一九〇九年）の妻、伊藤梅子をご紹介しながら、当時の美容についてお話ししていきましょう。

梅子は小梅という名で芸妓《げいぎ》をしていましたが、博文に見染《みそ》められて正妻となりました。「芸者上がりに何かできるか」と陰口をたたかれながらも、芯《しん》の強さと才覚を発揮して博文を支えました。明治維新の激動の時代、元勲《げんくん》を支える夫人は梅子のように、気骨のしっかりした人でなければ、務まらなかったことと思います。

明治十六年（一八八三年）、東京内幸町に鹿《ろく》鳴館《めいかん》が開館しました。以後数年間、鹿鳴館は、欧化主義の象徴として上流階級の華やかな社交場となりました。この頃の女性のファッションは、バッスル・スタイルが主流でした。バッスル・スタイルは、ヒップの上に腰当て（バッスル）をしてドレスをふくらませたデザインのことをいいます。

明治時代になると男性のヘアスタイルは髷《まげ》から断髪（短く切った髪型）へと大きく変化しましたが、女性の髪はそれほど大きな変化はなく、しばらくは江戸時代の髪型が続いていました。明治五年（一八七二年）に東京府から、女性の断髪《だんぱつ》は風俗上よろしくないという禁止令が出ましたが、時代の流れを抑えることができず、女性の髪型も新しい方向へと向かっていきました。そこで生まれたのが束髪《そくはつ》でした。

明治十八年（一八八五年）の夏、婦人束髪会が結成されました。この会は、渡部鼎《わたなべかなえ》という医師と石川暎作《えいさく》という記者が日本髪について話している時に、医者は衛生面から、記者は経済的側面から、有害であるという結論に達し、それをきっかけにして発足しました。当時のパンフレットに束髪をすすめる理由として、次の三点が挙げられています。

一　衛生的

日本髪は油で固め通風が悪く、むれやすく、不潔だが、束髪は油もいらず軽くて衛生的である。

二　経済的

日本髪のように、櫛《くし》、笄《こうがい》、髢《かもじ》などが一切いらない。髪結《かみゆ》いに頼まなくても自分で結える。

三　機能的

日本髪は結髪《けっぱつ》するのに時間がかかり、重くて頭痛や前かがみの原因となるが、束髪は軽く女性の生活が生き生きと活動的になる。

束髪は、まさに時代が求めていたヘアスタイルといえるもので、一年たらずで全国に広がっていきました。当時の日本の束髪は西洋の束髪とは異なり、前髪、鬢《びん》、髱《たぼ》、髷の四つの部分に分けとり、それぞれの毛を別々に中心に向かってまとめるという手法でした。

明治十九年（一八八八年）十月に、洋式婦人束髪法というパンフレットが出版され、図解入りで洋式婦人束髪の雛形《ひながた》と説明が掲載されました。そこに西洋上げ巻き、西洋下げ巻き、英吉利《イギリス》結び、まがれいと《マーガレット》の四つの髪型が紹介されました。そのほかに日本風の束髪として、をばこ、くしまき、じれった結び、ひょうご結び、しゃこなどの名が挙げてあります。例えば、「西洋上げ巻きは中年以上の婦人が結《ゆ》った髪型で、結い方は左手で髪の根元を揃え、右手で三、四度その毛束を右の方にねじり、これを適当に巻いて髷を頭上につくり、毛先を押さえこんで髷をしっかり固定させるためにヘアピンで留める。まがれいとは十六、七歳の女の子のヘアスタイルで、英吉利《イギリス》結びの時の三つ編みにし、毛先をリボンで結び、これを根元にまわして再びリボンでそこを止める」と書かれています。このほか、明治十九年に刊行された『女学雑誌』には、第一渡辺巻き、第二渡辺巻き、和崎結び、ホーリ結び、朝巻き、夜会結びなどが紹介されています。

束髪の時代は、日本髪から欧米風の髪型への過渡期といえるでしょう。ファーストレディとして社交界で活躍した梅子は、新しい時代の先端をいくおしゃれをしていたことでしょう。

ローブ・デコルテを身にまとい、勲章をつけた梅子夫人

〝朝巻き〟の後ろ姿

明治20年頃の束髪。〝朝巻き〟と呼ばれる髪型

THE HISTORY OF BEAUTY 33

# 日本のミスコン優勝者第一号 末弘ヒロ子

SUEHIRO HIROKO

末弘《すえひろ》ヒロ子は、明治四十一年（一九〇八年）に開催された美人コンテストで一位となり日本のミスコン優勝者第一号して知られています。ヒロ子は、明治二十六年（一八九三年）生まれ。福岡県小倉市長を務めた末弘直方《すえひろなおかた》の四女で、学習院女学部に通う深窓《しんそう》の令嬢《れいじょう》でした。

明治四十一年（一九〇八年）、アメリカの新聞社が企画したミス・ワールドコンテストの日本予選を、時事新報社《じじしんぽうしゃ》が「日本美人写真募集」と銘打《めいう》ち、キャンペーンを展開しました。これにヒロ子の兄が応募するかたちで、ヒロ子の写真を送りました。それが彼女の運命の転機となりました。

このコンテストは規定として、「女優、芸妓《げいこ》、その他容色《ようしょく》を以《も》って職業の資とする者の写真は採用せず、身分、身長、胸囲、胴囲も併記せらすればもっとも妙」とあります。七千におよぶ応募の中から末弘ヒロ子が第一位に選ばれ、世界大会に送られました。後日、コンテストへの参加が問題となり、ヒロ子は退学処分の憂《う》き目にあいましたが、学習院の院長であった乃木《のぎ》希《まれ》典《すけ》の計《はか》らいで、侯爵《こうしゃく》、陸軍大将の野津道貫《のづどうかん》の子息、鎮之助《しずのすけ》と結婚しました。

さて、明治時代のヘアスタイルについてお話ししましょう。明治十八年（一八八五年）、手間がかかるうえ、不衛生で窮屈な日本髪をやめて、より簡便、快適、衛生的な束髪《そくはつ》を普及させようと、婦人束髪会が結成されました。束髪は、まさに女性たちが求めていた髪型で、たちまち全国に広がっていきました。そして西洋上げ巻き、西洋下げ巻き、英吉利《イギリス》結び、まがれいと（イラストA）といったバリエーションを展開させながら発展していきました。イラストのヒロ子のヘアスタイルは、前髪を庇髪《ひさしがみ》にしてリボンをつけ、後ろはねじりながらおろしてリボンを結んだ髪型で、女学生らしい清楚で可愛《かわい》らしい髪型です。この髪型は、明治四十年前後に流行し、特に十六、七歳の女学生に好まれました。

当時リボンは、新しいヘアアクセサリーとして大変人気がありました。値段が手頃だったこともあり、若い女性たちは、思い思いのリボンを求め、おしゃれを楽しんでいました。こうしたリボンの大流行は、洋髪の普及に大きく貢献していたといえましょう。

イラストBも庇髪の一種です。庇髪は、明治三十年代から大正時代にかけて結われ、女学生を中心として全国的に流行していました。庇髪はその名のとおり、前髪が庇のように張り出した形をしています。また、後頭部の髷《まげ》の部分の結い方には、さまざまなバリエーションがあります。

明治、大正と結《ゆ》われつづけてきた庇髪ですが、明治時代の庇髪は大振りで、大正時代の庇髪はこじんまりとしています。そうしたことから庇髪の大きさを見れば大方の時代を判別することができます。

次に、この頃のお化粧についてお話ししましょう。明治二十七年から二十八年（一八九四年〜一八九五年）にかけての日清戦争により花柳《かりゅう》界《かい》が賑《にぎ》わい、それによって化粧品の需要が増加しました。明治三十五年（一九〇二年）には白《おし》粉《ろい》、香油《こうゆ》、香水、化粧水、歯磨《はみが》き、石鹸《せっけん》、練香《ねりこう》油《ゆ》が、大阪で開かれた第五回勧業博覧会《かんぎょうはくらんかい》に化学工業品として出品されています。

明治二十年（一八八七年）四月に、歌舞伎《かぶき》の名女形《めいおんながた》、中村福助が鉛白粉《なまりおしろい》による鉛中毒《なまりちゅうどく》で死亡するという事件が起こりました。これによって鉛白粉の恐しさが広く知れ渡るようになりました。そしてさらに同じ頃、舶来《はくらい》のヘンリイ水白《みずおし》粉《ろい》が水銀《すいぎん》を含んでいるということで、発売禁止になっています。

こうした事件を経て、体に害のない白粉の研究がますます進みました。明治三十七年六月には無鉛白粉《むえんおしろい》が伊東胡蝶園《いとうこちょうえん》でつくられ、御料御園《ごりょうみその》白粉《おしろい》として売り出されました。そして国産品として中山太陽堂からクラブ白粉、平尾賛平商店からレート白粉が発売されました。これら三つの会社から無鉛化粧品が発売されるようになったことで、メイクアップが一般に普及しました。

前髪を庇髪にした末弘ヒロ子。ご令嬢らしいしとやかさが感じられる

B　庇髪の一種。庇髪は、前髪を大きく張り出した髪型

A　〝まがれいと〟を後ろから見たところ。三つ編みにした髪を輪にし、リボンを結んでいる

THE HISTORY OF BEAUTY 34

# 情熱的に生きた大正の女優 松井須磨子

MATSUI SUMAKO

大正期を代表する大女優、松井《まつい》須磨子《すまこ》（一八八六年〜一九一九年）をご紹介しましょう。

須磨子は、士族、小林藤太の五女として長野県松代に生まれ、六歳のときに長谷川家の養女となりました。

十七歳で上京、東京俳優養成所講師の前沢誠《まえざわせい》助《すけ》と結婚し、明治四十二年（一九〇九年）に文芸協会演劇研究所の第一期生となりました。坪《つぼ》内逍遙《うちしょうよう》、島村抱月《しまむらほうげつ》らの訓育《くんいく》を受け、女優としての芽を伸ばしていく須磨子でしたが、翌年には離婚し、妻帯者《さいたいしゃ》である恩師抱月と恋仲となって文芸協会を追われてしまいました。

大正二年（一九一三年）、須磨子は抱月とともに芸術座を旗揚《はたあ》げしましたが、大正七年（一九一八年）十一月に抱月がスペイン風邪《かぜ》で急死すると、須磨子は翌年の一月五日に抱月の後を追って縊死《いし》しました。

須磨子は日本で最初の新劇女優《しんげきじょゆう》で、その情熱的な演技は絶賛《ぜっさん》されました。大正二年に帝国劇《ていこくげき》場《じょう》で上演された『復活《ふっかつ》』のカチューシャ役は後《こう》世《せい》に語りつがれるほどの当たり役で、須磨子は人気女優としての地位を一気に築くこととなります。彼女が歌った主題歌『カチューシャの唄《うた》』も大ヒットとなりました。当時、長野県の諏訪中学校《すわちゅうがっこう》の生徒だった私の父（ハリウッド化粧品株式会社創業者、牛山清人）が「カチューシャ可愛《かわ》いや別れのつらさ……」と、口ずさんでいたところ、上級生から「女々《めめ》しい唄を歌うな」と殴られたそうですが、のちに俳優を目指してアメリカに渡った父らしいエピソードです。

また、父同様、観劇が好きだった母は須磨子をひいきにしていて、「体格も大きいけれど、大物らしいスケール感を感じさせる女優さんね」と話していたのを覚えています。

さて、大正時代のヘアスタイルについてお話ししましょう。当時、「今日は帝劇、明日は三越」という言葉が流行《はや》っていました。これは、最先端のファッションの発信地が三越で、流行の最先端をいく衣服を身にまとい、見せびらかす場所が帝国劇場の廊下《ろうか》であるという意味でした。

68〜69ページで〝束髪《そくはつ》〟についてお話ししましたが、このスタイルがすっかり定着したのが大正時代です。そして束髪は、大正巻《たいしょうま》き、改元《かいげん》巻《ま》き、九重巻《ここのえま》きと変化していきました。明治時代は誰もが同じ型で結《ゆ》っていたのですが、大正時代に入るとバリエーションが出てきて、それぞれその人に似合う結い方で結うようになっていきました。このように個人個人にふさわしい結い方になったのは、帝国劇場の舞台で活躍した女優たちの力によるものといえましょう。

明治時代の束髪との大きな違いは、髪を大きく盛り上げるためのアンコを使わなくなったことが挙げられます。前髪を三七分けにし、アンコを使わずにすっきりと小さくまとめた〝女優《じょゆう》髷《まげ》〟が新劇女優たちの間で結われるようになり、のちに一般的に結われるようになりました。女優髷は、手入れがしやすく、活動しやすい髪型でした。また、美しさという点ではあまりすっきりしていない髪型でしたが、ヘアアイロンが輸入され、〝耳かくし〟という髪型が流行るようになると（大正九年（一九二〇年）頃）、ウエーブがつけられるようになりました。これらの洋髪にはアンコが芯《しん》として用いられ、オキシドールで髪を赤く変色させることも流行りました。

イラストAは庇髪《ひさしがみ》で、明治二十八年（一八九五年）に実践女子学園創設者《じっせんじょしがくえんそうせつしゃ》の下田歌子《しもだうたこ》女史が外国から帰ってから結った髪です。これは前髪を庇のようにふくらませた独特の髪型で、大正の中頃まで結われました。イラストBの束髪は明治の後期から大正期になって定着したヘアスタイルです。かつて鹿鳴館《ろくめいかん》時代に洋装用として考案された束髪が、日本髪廃止後の髪型として定着したものです。

大正時代のヘア、メイク、ファッションは、独特のロマンの香りのする情緒的なファッションを楽しませてくれます。そして個性を尊重し、女性が自由を求めて新たな一歩を踏み出した時代らしい、軽やかさや新鮮さが感じられます。

全盛期の松井須磨子。大正期には、多様な形に束髪が結われるように

B　明治時代後期には、アンコを使わずに束髪を結った

A　前髪を庇のようにふくらませる庇髪

THE HISTORY OF BEAUTY 35

# 世界のプリマドンナ 三浦環

MIURA TAMAKI

三浦環《みうらたまき》（一八八四～一九四六年）は、大正末期から昭和初めにかけて活躍したオペラ歌手です。大正十一年（一九二二年）、ニューヨーク・タイムズ紙は、「フョードル・シャリアピンの『ボリス・ゴドノフ』、アンナ・パヴロヴアの『瀕死《ひんし》の白鳥』、マダム三浦の『蝶々夫人《ちょうちょうふじん》』は、世界無比《せかいむひ》の優《すぐ》れた特徴をもった芸術である」と評《ひょう》しています。彼女はその評価に違わぬプリマドンナで、日本人として初めて国際的な名声を手に入れました。そして二十二年におよぶ海外生活の間に、『蝶々夫人』の公演二千回という記録を残しています。

三浦環は、東京・芝の公証人の家に生まれました。幼い頃から長唄やお琴、日本舞踊を学び、十七歳で東京音楽学校（東京芸術大学音楽学部の前身）に入学しました。同じ頃、軍医の藤井善一と結婚しましたが、二十六歳で離婚。その後、医学博士の三浦政太郎と結婚し、大正三年（一九一四年）に夫とともにドイツに留学しました。

第一次世界大戦開戦時には、イギリスに避難しました。その時、のちにイギリス首相となるチャーチルの母親が彼女の美声を聴いて感心し、ロイヤル・アルバート・ホールで開催される恤《じゅっ》兵《ぺい》音楽会に環を出演させるべく働きかけました。そして出演を果たした彼女は、大成功を収めました。この成功によって年に百回の『蝶々夫人』の出演契約がなされ、世界的なプリマドンナへの道が開かれました。

一九二〇年のローマ公演の時には、『蝶々夫人』の作曲者プッチーニが彼女の楽屋を訪ね、「あなたの蝶々さんは、私の夢を完全に実現してくれました」と賛辞を贈りました。作曲者から直接このような言葉をかけられることは、オペラ歌手としてこのうえない喜びであり、栄誉だったことでしょう。

さて、三浦環が活躍した大正末期のヘアについてお話ししましょう。この時代に最も流行していた髪型は、〝耳かくし〟です。〝耳かくし〟は、まず前髪を七三に分け、熱した鏝《こて》で挟《はさ》んで大きなウエーブをつけます。ウエーブは額《ひたい》からサイドにかけて、波打つような形にします。そして髪で耳を隠すようにゆったりと後ろで束ね、襟足でまとめた毛先を横倒しのS字風にまとめるヘアスタイルです。また、真ん中分けも同時に流行し、美容師たちは思い思いの形に〝耳かくし〟を結んでいました。

この髪型が考案された経緯については諸説あり、はっきりしていません。参考までに三つの説を次に挙げます。

一つめは、映画女優などの結髪を担当していた伊奈もとと、床山《とこやま》の永島豊吉が考案したというものです。伊奈が著した『髪と女優』（昭和二十六年）の中に、大正十一年（一九二二年）、上野で開催された平和博覧会に飾る人形の髪型を考案したが、それが後に〝耳かくし〟と呼ばれて世に広まったと記されています。

二つめは、大正十一年に美容師ヘレン・グロスマンがアメリカから来日し、兜《かぶと》型ドライヤーを日本にもたらすとともに、欧米の新しい髪型を伝えました。この髪型が耳かくしであったとするものです。

三つめは、美容に関する本の執筆などに携わっていた三須裕が日本に紹介したとするもので、同氏が著した『お化粧と髪の結い方』(大正十二年)に、「この流行は外国で起こった流行でありまして、それを私がふとした動きから日本の新聞に紹介した」とあります。

さて、大正時代の終わり頃になると、男性だけではなく女性たちにも断髪が流行しはじめました。女性の断髪は、第一次世界大戦の時に、活動しやすく手入れが容易、衛生的であることからはじめられましたが、「女性は、断髪とともに解放された」といわれるほど、世界的に流行しました。

国際的な名声を得た三浦環。しゃれた帽子とドレスを着こなしている

昭和三年(一九二八年)にハリウッド美容室が発行した『近代・美しき粧《よそお》ひ』には、「断髪の流行は決して一時的なものではありません。法律で禁止されるなどしない限り、ずっと続いていくでしょう。そう言い切れるほど断髪は、一旦、断髪にした人にとって魅力のある髪型なのです」とあります。

大正十年から十二年頃(一九二一年〜一九二三年頃)には、フランス人のマーセル・グラトーが考案したマーセル・ウエーブは日本に輸入され、たちまち大人気となりました。マーセル・ウエーブは、熱した鏝《こて》(ヘアアイロン)で髪にウエーブをつける手法で、先にお話しした耳かくしにも取り入れられました。

三浦環は、銀座のハリウッド美容室のお客さまでした。欧米生活が長かったせいか、とてもセンスがよく、新しいヘアスタイルを積極的に取り入れるおしゃれな方だったと母(メイ牛山)が話していたのを覚えています。

# 強烈な個性と純粋さをあわせもった 岡本かの子

OKAMOTO KANOKO

岡本かの子は、大正・昭和初期を代表する女流歌人で、作家、仏教研究者としても知られています。岡本かの子は、明治二十二年（一八八九年）、幕府御用達《ばくふごようたし》の豪商《ごうしょう》の家に生まれ、何不自由なく幼少期を送りました。跡見《あとみ》女学校在学中から文学的才能を発揮し、文芸雑誌や新聞の文芸欄に投稿していました。そして近代日本を代表する歌人、与謝野晶子に師事した後、文芸雑誌の『明星《みょうじょう》』や『スバル』に作品を発表するようになりました。

明治四十三年（一九一〇年）、岡本かの子は、東京美術学校を卒業して間もない岡本一平から熱烈な求愛を受けて結婚し、翌年には長男を授《さず》かりました。この男の子は、のちに「芸術は爆発だ！」という言葉が有名になった芸術家の岡本太郎です。

裕福な家庭で育った岡本かの子にとって、駆け出しの漫画家の妻としての生活は厳しいものでした。そして一平が売れっ子の漫画家になると経済的な苦しみからは解放されたものの、一平の放蕩《ほうとう》ぶりに悩まされることになりました。岡本かの子は、人を惹《ひ》きつけてやまない強烈な個性と純粋さをもった女性でしたが、心の中に陰《かげ》の部分をもち、仏教に救いを求めていたといいます。

昭和十一年（一九三六年）、岡本かの子は、芥川龍之介をモデルにした『鶴は病《や》みき』で作家デビューし、息子太郎への思いを描いた『母子叙情』で、小説家としての地位を確固たるものにしました。以降、傑作《けっさく》を次々と発表しましたが、五十歳の若さで急逝《きゅうせい》してしまいます。

さて、岡本かの子は、当時、銀座にあったハリウッド美容室のお客さまでした。のちに大流行となる断髪《だんぱつ》を初めてした女性、それがかの子でした。彼女は前髪を真ん中で分けた断髪だったと母（メイ牛山）から聞いていますが、当時の女性にとって断髪にすることは、相当勇気のいることだったに違いありません。また、当時のことについて、母はこう話していました。

「最初に断髪になさったのは、岡本かの子さん、宇野千代さん、実業家の奥さま方です。当時は真っ黒の着物が流行していて、袖が二尺二寸（約七十センチ）くらい、真っ黒の羽織に高い草履《ぞうり》、口紅は今のように大きくつけず、尖《とが》った感じにはっきりとつけ、眉《まゆ》は細くしたのがその頃の流行《はや》りで、いちばんモダンな格好《かっこう》でした。あの頃、髪をショートにする人は日本で一流のセンスだったと思います。サロンのお客さまだった林芙美子さんもそういう髪型をしていらっしゃいました。髪を切れない人もウエーブをつけてまとめて後ろを短くし、断髪のように見せていましたね。

電気パーマは昭和三年頃からはじまりましたが、主人（牛山清人）がアメリカから持ち帰り、日本に紹介したのが初めということです。今のように薬剤を用いるのではなく、電気の熱でウエーブをつける方法でした。熱で髪の毛が焼き切れることもありましたが、当時の日本人は髪が多く、削《そ》ぐほどあったのでわからなかったようです。真っ黒で硬く、しかも青味がかっていて、〝緑の黒髪〟という言葉がぴったりの髪質の方が多くいらっしゃいました。

その頃、美容室を利用するのは、外交官や上流社会の奥さまとお嬢さま、そして女優さんなどで、今のようにだれもが気軽に利用できる場所ではありませんでした。サロンはさながら社交場でした。週一回いらしても、同じ服装で来られる方は一人もいらっしゃいませんでした。当時はシルバー・フォックスやホワイト・フォックスのストールをお召しのお客さまが多く、ストールをお預かりするためのフォックス・ボックスを五十ケースほどつくりました」

その当時のおしゃれな人たちは本当に贅沢《ぜいたく》で、現代よりも本格的なおしゃれを楽しんでいました。写真のとおり、ヘア、メイク、ファッション、アクセサリーの使い方に至るまで、現代につながるモダンさがあります。かの子が、時代の最先端をいくおしゃれを楽しんでいた様子が伝わってきます。

断髪にした岡本かの子。モボ・モガの時代、おしゃれの最先端にいた

髪を断髪にして、ホワイトフォックスの襟巻きをまとった女性

しゃれたクロッシェ（クラウンが深く、つばが小さめな帽子）を被った女性

THE HISTORY OF BEAUTY 37

# 昭和初期の理想女性を好演した 原節子

HARA SETSUKO

原節子は、戦前から戦後にかけて活躍した女優です。古きよき時代の理想女性を好演し、日本中の人々の心をとらえました。四十二歳で惜しまれつつ引退し、その後は一切、マスコミの前に姿を現さず、その私生活は今なお謎のベールに包まれたままです。

原節子は大正九年（一九二〇年）、神奈川県に生まれました。昭和十年（一九三五年）公開の日活映画『ためらふ勿《なか》れ若人《わこうど》よ』でデビューし、同作品の役名が〝節子〟だったことから芸名を原節子としました。翌年、ドイツのアーノルド・ファンク監督に見出され、日独合作映画『新しき土』のヒロインを演じます。この作品で節子は一躍スターとなります。

太平洋戦争（昭和十六年〈一九四一年〉～昭和二十年〈一九四五年〉）には、『決戦の大空へ』といった戦意を高揚《こうよう》する映画に出演しました。終戦の翌年、黒澤明監督の『我が青春に悔《く》なし』でヒロインを演じたのに続き、今井正監督の『青い山脈』、小津安二郎《おづやすじろう》監督の『晩春』『東京物語』ほか、数々の名作に出演しています。そして昭和三十七年（一九六二年）、稲垣浩監督の『忠臣蔵　花の巻・雪の巻』に出演したのを最後に表舞台から姿を消します。

節子は清純な女学生の役から成熟した女性の役まで、さまざまな役柄《やくがら》を演じましたが、そのすべてにおいて日本女性ならではの美しさが感じられます。そして彼女のたおやかで品のある言葉づかいは、ため息がでるほどの美しさです。

さて、原節子が活躍していた時代の美容について、同じ時代を過ごし、海外の美容法を日本にもたらした私の父、牛山清人（ハリウッド化粧品株式会社の創業者）の話を交えながらお話ししていきましょう。

大正四年（一九一五年）、十七歳だった父は、父親に会うために単身アメリカに渡りました。父親との対面を果たした後は、映画俳優を志《こころざ》してハリウッドに向かいました。そしてハリウッド俳優、早川雪洲《はやかわせっしゅう》の弟子になり、雪洲の代役などを務めていました。若き日のチャールズ・チャップリンやダグラス・フェアバンクスといった往年の大スターたちが活躍していた、まさにその時代です。

しかしある時、「きみは大根（演技が下手）だからやめたほうがいい。それよりもハリウッドには一流の美容師がいるんだから、技術を教えてもらって、化粧品の製造と美容術を並行してやれば成功できる」と雪洲にいわれ、その気になったそうです。そして大正十四年（一九二五年）に帰国し、東京・神田にハリウッド美容室を開きました。そこにパーマネントの機械と技術を導入して、アメリカ仕込みの美容技術を行うとともに、化粧品の製造も行っていました。ところが肝心のお客さまがいらっしゃらない。神田は学生の街で、お金のない学生ばかりだったのです。頭を抱《かか》えていたところ、店の前を通りかかったポール・ラッシュ教授（立教大学教授、聖公会牧師）が突然来店し、「ひと夏軽井沢にお店を出せば必ず成功する」とご助言をくださり、出店のお世話までしてくださいました。そして軽井沢に出店したところ、外国人や映画俳優など、おしゃれに敏感な方々に気に入っていただくことができました。そして今度は松竹キネマのスター鈴木伝明のお世話で銀座に店を出しました。すると栗島すみ子や林長二郎（長谷川一夫）といった当時のスターがご来店くださるようになり、そのお陰で〝スターが通う店〟と評判になり、繁盛《はんじょう》しました。

しかし第二次世界大戦になると状況が一変します。警視庁からも軍部からも「ハリウッドなどという敵国語《てきこくご》を社名にするなどけしからん」といわれ、化粧品に貼《は》るラベルなどを全部焼かれてしまいました。そして空襲が激しさを増したことで長野に疎開。諏訪で飛行機のガラスにつける着氷防止剤や曇り止めをつくっていました。

やがて戦争が終わり、六本木で美容室を再開。上流階級のご婦人方や女優さんをはじめ、多くのお客さまにご来店いただき、現在にいたっています。戦時中の困難を思うと、おしゃれを楽しめることの幸せをしみじみと感じます。

清純な女学生役や貞淑な妻役を好演し、国民を魅了した原節子

〝もんぺ〟をはいた
戦争中の女性

THE HISTORY OF BEAUTY *38*

# パリの香りを日本に運んだ女優 岸 恵子

KISHI KEIKO

昭和を代表する女優、岸恵子は、昭和七年（一九三二年）、横浜に生まれました。昭和二十六年に映画『我が家は楽し』でデビューし、昭和二十八年、映画『君の名は』のヒロインを務め一躍スターの仲間入りを果たします。その美貌と美しい身のこなし、洗練されたファッションはまさにスターの名にふさわしい輝きを放っていました。戦後のスターを撮り続けた名カメラマン早田雄二は、岸恵子について次のように語っています。

「ムードづくりがうまいし、動きもナチュラル。しかも向上心があって、知識を得ようと努力する。女優さんとしては稀《まれ》にみる人です」。

彼女の代表作のひとつ『君の名は』は、空前の大ヒットとなりました。映画の中でヒロインの真知子がショールを頭に被《かぶ》って首に巻いていたのですが、これが〝真知子巻き〟と呼ばれて大流行となりました。

さて、岸恵子がデビューを果たしたのは第二次世界大戦（昭和十四年〜二十年）の復興期ですが、大戦中と大戦後のヘア、メイク、ファッションは、それまでとはまったく異なった状況となります。ここで戦中と戦後の美容について、お話ししておきたいと思います。

近代化が進む中、女性たちは欧米からもたらされるファッション、メイク、ヘアスタイルを取り入れておしゃれを楽しんでいました。しかし、日中戦争（昭和十二年）の頃になると、おしゃれは自粛《じしゅく》を迫られるようになります。第二次世界大戦時には「ほしがりません勝つまでは」「贅沢《ぜいたく》は敵《てき》だ」という標語まで掲げられました。

この頃の女性の髪型としては、〝鉄兜《てつかぶと》巻き〟が流行しました。髪を三つ編みにして頭に巻きつけるスタイルですが、いかにも戦争中らしいネーミングです。そして質素倹約《しっそけんやく》の精神に反するということで「パーマネントはやめましょう」という気運が高まりました。しかし、女性たちのおしゃれに対する情熱は消えませんでした。電力が使えなくなり、パーマネントが自粛ムードになっても、ひそかにパーマネントの道具を熱するための炭を美容室に持参して、ウエーブを絶やさなかった女性が多かったということです。また、防空壕《ぼうくうごう》の中でパーマネントをしていたという話も聞いたことがあります。やがて炭すら買うことができなくなると、〝自粛〟という簡単な束髪《そくはつ》が現れます。

戦争が終わり、翌昭和二十一年（一九四六年）にはパーマネントが復活し、同時にコールドパーマが現れました。マニキュアもはじめられ、口紅やクリームも店頭に現れました。この頃のことを母（メイ牛山）は次のように話していました。

「昭和十七年、十八年頃から、お化粧はもちろん、ヘアスタイルまで制限されました。カールは一つだけで、二つあってはいけない。ワンロールみたいにまとめるだけのスタイルでした。

昭和二十五年（一九五〇年）頃までのお化粧は、顔ばかり白くして、お面をかぶったように境界《きょうかい》線《せん》が目立つ人がまだまだいました。それは田舎《いなか》に行くほど多かったようです。白粉《おしろい》は水白粉《みずおしろい》で、振って手でつけました。クリームはバニシングです。昔の人は顔がぱりぱりに乾いている人が多くて小じわが目立っていましたね。それから、ちょっと艶《つや》が出て光る化粧になりました。アイシャドウは戦前からありましたが、今のように上手なつけ方ではなく、目がへこんでいるように見せるという感覚で使っていました。重みをつける、立体感をつけるという感じです。色はグレーのような濃い色でした。マニキュアもしていましたが、今のように塗るのではなく、磨くということで、塗るようになったのはずっと後になってからです。香水は最高の贅沢。時代によって歓迎される香りがあって、気持ちといっしょに動いていくものだと思います」

与えられた状況の中で美を追求していく女性たちのけなげな姿と、たくましいおしゃれ心を強く感じますね。

洗練されたファッションを見事に着こなしていた岸恵子

映画『君の名は』によって
大流行した〝真知子巻き〟

前髪に電気パーマをかけた
ヘアスタイル（1948年頃）

THE HISTORY OF BEAUTY 39

# お茶の間に海外の風を届けた 兼高かおる

KANETAKA KAORU

昭和三十年代は、高度経済成長期のただ中ではありましたが、海外旅行は高額な費用がかかる贅沢《ぜいたく》なものでした。そうした時代、私たちにさまざまな国の気候風土やそこに暮らす人々、歴史や文化などを紹介してくれるテレビ番組がありました。『兼高《かねたか》かおる世界の旅』という番組です。昭和三十四年（一九五九年）から平成二年（一九九〇年）まで三十年間にわたって放送されました。兼高かおるは、その番組のレポーター、ナレーター、ディレクター、プロデューサーを務めていました。

兼高かおるは昭和三年（一九二八年）、兵庫県神戸市に生まれました。ロサンゼルス市立大学留学を経て、ジャーナリストとして活躍。昭和三十三年（一九五八年）にスカンジナビア航空主催の「世界早まわり」で新記録を樹立したのをきっかけにして、翌年から『兼高かおる世界の旅』をスタートさせます。番組終了までの三十年間に一六〇ヵ国を訪れ、移動距離は地球一八〇周分ということです。彼女はバイタリティと好奇心にあふれ、時には大胆な行動で視聴者を驚かせましたが、東京の山の手（上流階級が多く居を構えていた地域）の女性らしい、美しい言葉づかいがとてもチャーミングでした。

さて、この時代のおしゃれはどのようなものだったのでしょうか。昭和三十三年（一九五八年）頃からは、脱色して別の色をつける染毛法が流行しはじめました。従来の髪にコーティングする手法よりも格段に色持《いろも》ちがよくなりました。

最も流行したヘアスタイルは、髪を後ろになだらかに流し、両側をややカールさせたものでした。そして前中央にスエードのボンネット（小型の帽子）を被《かぶ》ることが流行しました。このボンネットにサテンのリボンをつけ、さらに羽毛を前方につきだしてつけました。

昭和三十三年から四十五年頃（一九五八年〜一九七〇年代）は、高度経済成長期、情報化社会時代を迎えた頃で、セットやカットの技術がめざましく進歩しました。ショート、ロング、カーリー、ストレートと、ヘアスタイルも多様化し、ペイジボーイカット（毛先を内巻《うちま》きにカールしたボブ）、ミッチースタイル（美智子さまのご婚約の頃のスタイル）、おかっぱスタイルが流行し、一九六〇年代にはウイッグやパーマで高さをつけたスタイルが流行《はや》りました。一九七〇年代には、襟足《えりあし》の長い段カットの狼《おおかみ》カットやストレートのロングなどナチュラルなイメージの髪型、お嬢さま風のウエーブヘアが流行しました。

メイクアップは、昭和二十九年（一九五四年）頃から歌舞伎《かぶき》の隈取《くまど》りからヒントを得たお化粧が流行しました。これはフランスで活躍するヘアデザイナー、アントワーヌが考案したもので、映画『ホフマン物語』で用いられたことで全ヨーロッパに広がり、日本にも入ってきました。

知的で行動力にあふれた女性、兼高かおる。上品な言葉づかいが印象的

オリエンタルな雰囲気をもったおしゃれは髪型にも現れました。例えば日本髪の髷《まげ》を思わせるヘアピースや髪型、日本の丁髷《ちょんまげ》からヒントを得たものなどがありました。これらもメイクアップの場合と同様に、日本に逆輸入されました。

昭和三十七年（一九六二年）に日活ファミリー・クラブでシャーベット・トーン（カラフルで淡《あわ》い色彩）を取り入れた製品の発表会が開かれました。ここではストロベリー、イエローライム、ソーダーブルーといった、おいしそうな名前のカラーが登場しましたが、これらが流行色としてさまざまな製品に取り入れられました。

ところで『兼高かおるの世界の旅』を母（メイ牛山）と観ていたときに、驚いたことがあります。兼高かおるがイヌイットの男性に何か飲物を振る舞っている場面が出てきたのですが、よく見ると、それは母が考案した〝抹茶ドリンク〟のようでした。ハリウッドビューティサロンにお客さまとしていらした時にお買い上げくださったものを、北極までお持ちになったに違いない、と母と二人で大感激しました。

襟足の長い段カット〝狼カット〟（1970年代）

つけ毛や逆毛で高さを出す（1960年代）

脱色して染める新しい染毛法誕生（1950年代）

THE HISTORY OF BEAUTY *40*

# 銀幕のエレガントレディ
# 司 葉子

TSUKASA YOKO

　戦後を代表する女優、司葉子《つかさようこ》は昭和九年（一九三四年）、鳥取県に生まれました。昭和二十九年（一九五四年）『君《きみ》死に給《たも》うことなかれ』で主演デビューし、小津安二郎《おづやすじろう》監督の『秋日和《あきびより》』（一九六〇年）では、実力派の力量を見せました。昭和四十一年（一九六六年）公開の『紀ノ川』では、同年の映画賞を独占、翌年の『乱れ雲』と合わせて代表作となりました。昭和四十四年（一九六九年）には、当時、経済企画庁官房長だった相澤英之氏（のちに大蔵省事務次官、衆議院議員等を歴任）と結婚して話題を呼びました。

　昭和の女優を撮りつづけた写真家、手島秀利は、「司さんは僕のスタジオに来てくれた人のベスト5に入る。エレガントでノーブルなんだけど、芯が強い」と話しています。彼女の高貴な美しさ、品のよさ、そのエレガントな立ち居振る舞いは、日本の映画界でも随一ではないかと思います。

　司葉子は学生の頃からハリウッドビューティサロンのお客さまで、おしゃれで美しいお嬢さまだったと母（メイ牛山）が話していました。彼女は、母の紹介で雑誌の表紙を飾ったのをきっかけにして、銀幕デビューなさったとのことです。とても良識のある方で、時折オフで見せる茶目っ気がまた魅力的です。「今日《こんにち》の私があるのは、メイ先生（私の母、メイ牛山）とのご縁があったからこそ」とおっしゃってくださる、とても義理堅《ぎりがた》い方でもあります。

　さて、昭和期のファッションについて、時代を追って見ていきたいと思います。一九五〇年代（昭和二十五年〜三十四年）は、ファッション復興期で、洋裁学校が復活の気配を見せ、デザイナーという言葉が登場してきます。また、〝ラインの時代〟とも呼ばれ、チューリップライン、Hライン、Aライン（いずれもクリスチャン・ディオールのデザイン）など、さまざまな流行が生まれました。

　当時の女性たちは、スタイルブックにのっているおしゃれなイラストを参考にして、街の洋裁店でつくらせるか、自分で型紙を引いて洋服をつくりました。また、スタイルブックとともに、若い人たちがファッションの参考にしていたのが、シネモード、つまり映画俳優や女優たちの装《よそお》いでした。なかでも日本人の共感を最も呼んだのがオードリー・ヘプバーンの映画です。『ローマの休日』（一九五三年）、『麗しのサブリナ』（一九五四年）におけるヘプバーンの清楚なイメージは多くの女性たちの支持を集め、サブリナ・パンツ、サブリナ・シューズなどが大流行しました。

　また、一九五〇年代のファッション・リーダーだったイラストレーターの中原淳一は、雑誌『それいゆ』や『ひまわり』に、彼の絵の世界から抜け出してきたお嬢さまファッションを掲載しましたが、彼のつくり出すファッションは、日本中の若い女性たちの憧《あこが》れでした。イラストのシース・ドレスは、『ジュニアそれいゆ』（一九五六年）に発表されたものです。

一九五三年のディオールのチューリップ・ライン発表からは、スカート丈がロングから少しずつ短くなり、ペチコートでふわっとふくらませた落下傘《らっかさん》スタイルへと移っていきました。このスタイルは司葉子も好んでいたようで、素敵に着こなしていました。

次に一九六〇年代（昭和三十五年〜四十四年）についてお話ししましょう。一九六五年にクレージュがミニ・スカートを発表すると、瞬《また》く間に世界中に広がりました。一九六〇年代はクレージュ、カルダン、サンローランなどが活躍した時代で、幾何学《きかがく》ラインが日本でも流行しました。未来派感覚のモダンなカッティングとカチッとした構築的なシルエット、そして大《だい》胆《たん》な配色が特徴的でした。

和装も洋装もよく似合う司葉子。1950年代、1960年代は、シネモードがファッションのお手本だった。写真のヘア、メイク、着付けはメイ牛山が担当

シース・ドレス

サブリナ・パンツ

落下傘スタイルのスカート

THE HISTORY OF BEAUTY 41

# 麗しきインドの王妃 ムムターズ・マハル

MUMTAZ MAHAL

インドを代表する建築物といえば、世界遺産にも登録されているタージ・マハルでしょう。総大理石《そうだいりせき》の壮麗《そうれい》な建物は、宮殿のようにも見えますが、実は墓廟《ぼびょう》（お墓）です。ここに皇帝シャー・ジャハーンとともに眠るのが皇妃《こうひ》ムムターズ・マハルです。

ムムターズ・マハル（一五九五年～一六三一年）は、ペルシャ系の大貴族の娘として生まれ、一六一二年、のちにムガル帝国五代皇帝となるシャー・ジャハーンと結婚しました。ムムターズは夫から深く愛され、数々の遠征《えんせい》にも随行《ずいこう》し、十四人もの子宝《こだから》に恵まれました。しかし彼女は三十六歳という若さでこの世を去ってしまいます。皇帝シャー・ジャハーンは深い悲しみに暮れ、最愛の妻ムムターズ・マハルのために、二十二年の歳月をかけてその墓廟を建てました。そして皇帝自身も死後ムムターズ・マハルとともに葬《ほうむ》られました。

さて、インドの美容文化はどのようなものだったでしょうか。古代インドにまで遡《さかのぼ》ってお話ししていきたいと思います。

インドの美容の歴史は古く、インダス文明（紀元前二六〇〇年～紀元前一八〇〇年頃）の都市遺跡《いせき》モヘンジョ・ダロからは、化粧壺《けしょうつぼ》やアクセサリーなどが出土しています。また、レンガづくりの大浴場《だいよくじょう》跡も発見されていて、儀式的《ぎしきてき》な沐浴《もくよく》の場であったと考えられています。出土した化粧壺の多くはコール壺（黒やグレー、緑色といったメイク用の粉末を入れる容器）で、コールスティックという専用の棒も発見されています。また当時は男女ともに化粧料を使っていて、青銅《せいどう》製の鏡《かがみ》や小さな剃刀《かみそり》を使用していました。

紀元前四、五世紀頃は、香料が豊富に使われていました。化粧品としては、洗眼料、アンチモン、辰砂《しんしゃ》、煤《すす》などがありましたが、これらは白檀《びゃくだん》や黒ガジュツ、タガラ（沈香《じんこう》）、バダムッタガの精油などで香りづけされていました。また、女性は香料入りの粉や軟膏《なんこう》を体を塗《ぬ》り、メイクアップは、目を強調したり、頬《ほお》に模様を描くなどしていました。

紀元前一世紀から紀元前三世紀頃には、香りのバリエーションが豊富になりました。白檀は相変わらず人気で、沈香もよく用いられました。女性たちは顔に幾何学模様《きかがくもよう》や太陽、月、花、星、鳥の絵を描き、目を強調するメイクをしていました。

四、五世紀には、さらに贅《ぜい》を凝《こ》らすようになります。沐浴はインダス文明の頃から重要な儀式とされてきましたが、この頃の王の入浴法は次のようでした。金色の盥《たらい》に香水を満たし、その中央に置かれた水晶《すいしょう》の腰掛《こしか》けに王が座ります。何人かの侍女《じじょ》が王の髪に練《ね》りものをすり込み、サフランや白檀の香りのする水を頭に注ぎます。そして入浴後、王の体には、白檀や麝香《じゃこう》、樟脳《しょうのう》、サフランの練りものがすり込まれました。

当時の女性はラック染料（ラックカイガラ虫からとれる赤い色素）を唇《くちびる》につけ、コールスティックでアイラインを入れました。そして白檀の練りものや沈香を顔に塗り、赤・白・黒で模様を描きました。体にも白檀の練りものをすり込み、腕や胸には赤・白・黒で模様を描きました。足の裏をラックで、足の甲をサフランで着色し、腰を白檀で彩りました。

上流階級の若者は、髪を何本か房状《ふさじょう》にカールして整え、白い花でつくった冠《かんむり》を被《かぶ》っていました。額《ひたい》には赤い砒素《ひそ》を塗り、吐く息はマンゴー、カツコーラ、フルーツ、丁子《ちょうじ》、樟脳、ディゴの香りがするようにし、腕には顔料で模様を描いて装飾し、胸には樟脳の粉を振りかけていました。

ペルシャ系の美女、皇妃ムムターズ・マハル

伝統がいまなお生きているインドでは、叙事《じょじ》詩《し》『ラーマーヤナ』の中に描かれた女性美が、現在も美人の条件と考えられています。七世紀の作家ダンディンが書いた『十王子物語』には、「きれ長の目は黒（瞳）と白と赤（まなじり）の三つの部分に美しく映《は》え、額《ひたい》は半月の形で品がよく、鼻は咲ききらぬ胡麻《ごま》の花さながら、ふくらみをもった赤い唇は真中ではっきり分かれ……」と記されています。またプロポーションについては「三條の襞《ひだ》が腹部を飾っている。二つの乳房は胸を埋《う》めつくし、裾《すそ》が広く、先端が高く聳《そび》えている」とあり、胸が豊かで腰の大きな女性が美しいとされています。また目の表現としてインドでは、〝鷹《たか》の目のように〟といいますが、そう思って鷹の目を見ますと、確かに白目が美しく、黒目が実に生き生きとして、その表現の上手《うま》さに感服《かんぷく》させられます。

ヒンドゥーの女神ヴァティー。目を強調したメイクをしている

THE HISTORY OF BEAUTY 42

# 中国の名花 楊貴妃

YOKIHI

中国の美女といえば、真っ先に名前が挙がるのは楊貴妃《ようきひ》（七一九年〜七五六年）ではないでしょうか。楊貴妃は蜀《しょく》（四川省《しせんしょう》）の出身で、八三五年に唐《とう》の第九代皇帝玄宗《げんそう》の息子である李瑁《りぼう》の妃《きさき》となりました。しかし、妻を亡くして悲嘆《ひたん》にくれていた義父、玄宗皇帝に見初《みそ》められ、後に妃として迎えられました。皇帝の妃となった楊貴妃は、皇帝の妃の最高位である〝貴妃〟の位《くらい》を与えられました。

玄宗皇帝の治世《ちせい》の前半は〝開元《かいげん》の治《ち》〟と呼ばれ、唐の絶頂期と評価されています。その頃は皇帝自《みずか》ら政務《せいむ》に励《はげ》み、手腕《しゅわん》を発揮して治めていました。しかし次第に政治に対する情熱を失いはじめます。そうした時期に登場したのが楊貴妃でした。

楊貴妃は豊満《ほうまん》な体格の美人で、知性にあふれ、歌舞《かぶ》に秀《ひい》で、音曲にも通じていたということです。そしていつも芳《かぐわ》しい香りを漂《ただよ》わせていたと記録に残っています。これらすべてが、すでに老境に入っていた玄宗皇帝の心をとらえたのでしょう。

また、白楽天《はくらくてん》（白居易《はくきょい》、七七二年〜八四六年）が著した『長恨歌《ちょうごんか》』は、玄宗皇帝と楊貴妃の愛の物語を謳《うた》った長編の詩ですが、そこには、楊貴妃の美しさをたたえた表現が随所《ずいしょ》に見られます。悲恋の歌物語である『長恨歌』の一節をご紹介しましょう。

春寒くして、浴を賜う華清《かせい》の池
温泉の水はなめらかにして
凝脂《ぎょうし》を洗う

華清の池は温泉地で、そこに玄宗皇帝は立派な離宮《りきゅう》をもち、楊貴妃のための浴室も設けていました。凝脂というのは豊満で艶《つや》やかな肌のことで、楊貴妃の美しさを伝えています。私は実際にこの地を訪ねたことがあります。いまは遺跡となっていますが、お二人がまさにこの地で暮らしていたのだと思い、とても感動しました。

しかしこうした優雅な生活には問題もはらんでいました。老いた玄宗は愛におぼれ、政治を人任せにしていたのです。そして安禄山《あんろくざん》の挙兵《きょへい》によって楊氏一族はあっけなく亡ぼされ、楊貴妃も小さな仏堂の中で生命を絶ちました。

さて、この頃の化粧法にはどのようなものがあったのか、お話ししましょう。眉《まゆ》は蛾眉《がび》といって、蛾の触角《しょっかく》の形に眉を描きました。当時の人々は、蛾の触角を美しいを感じていたのですね。また、眉間《みけん》に花模様などを描いたり、唇《くちびる》の両脇に点をつける化粧法（花鈿《かでん》、靨鈿《ようでん》）も行われていました。

頬に紅をつける化粧も行われ、両頬の中心を最も赤くし、そのまわりをだんだん薄くしていきました。中国では三世紀以降、白粉《おしろい》として鉛《えん》白《ぱく》（塩基性炭酸鉛）と水銀粉（塩化第一水銀）が使われるようになりました。

中国では、昔から皮膚《ひふ》は内臓のひとつの器官と考えられており、胃などの内臓が悪いとすぐ肌に悪い影響が出て、内臓が健康になれば肌も美しくなるとして、医者が美容の薬を研究していたそうです。唐の時代の医書として名高い『備急千金要方《びきゅうせんきんようほう》』にも薬用洗い粉の処方が八種類、顔の色を白くする処方が九種類のっています。例えば〝治面不浄澡豆洗手面方〟という美白洗い粉は、白芷《ぎゃくし》、土瓜根《どかこん》、甘松香《かんしょうこう》、麝香《じゃこう》など二十種類の生薬《しょうやく》を、豚の脂《あぶら》と小麦粉でよく練《ね》り合わせて乾燥させ、さらに粉末にして白小豆《しろあずき》を混ぜて洗い粉にしたものです。これで顔を洗うと、十日で肌が雪のように白くなり、三十日もすればしっとりとして艶のある美しい肌になると記されています。

最高位の者だけに許されるヘア、メイク、ファッションの楊貴妃（西安の古書より）

髪については、唐代『毛詩正義《もうしせいぎ》』という国定注釈書に、次のような記述があります。

「人髪少なく、他人の髪を聚《あつ》めて之に益す」

この頃からすでに他人の髪をとって地髪に加えることが行われていたことを伝えています。当時は髢《かもじ》や入れ髪のことを髢《てい》と呼んでいましたが、髢のように髪を美しく豊かに見せる目的で使用するほか、古代の中国では父母に孝心を表す目的でつけ髪を用いることがありました。子どもが生まれて三ヵ月が過ぎると、髪を二つに束ねて頭の両側に（女児の場合は三ヵ所）角《つの》のような形に結びました。これを髦《ぼう》（角髻《つのまげ》）と呼んで幼児のおきまりの髪型とされていました。成長して大人の髪型に改めてからも父母に会う時には、わざわざ別につくっておいた髦をつけて幼児の姿となり、父母を喜ばせたということです。

中国では十世紀頃から纏足《てんそく》の風習が起こり、美人の欠くべからざる条件となります。纏足というのは足が大きくならないように布を巻く風習で、当時は顔が美しいよりも、纏足女性の楚々《そそ》とした姿のほうが、より高く評価されたということです。時代や地域によって美の基準と評価が異なっていて、興味深く感じます。

# 美容文化史年表

**西暦**：紀元前 三〇〇〇／二〇〇〇／五〇〇／〇／三〇〇／四〇〇／五〇〇／六〇〇／七〇〇

## 美容文化史

### 海外

古代／中世

エジプト時代／ギリシャ時代／ローマ時代／ビザンチン

- 男女とも断髪
- 目の化粧
- 鬘を使用
- 鏡、化粧用のスティック、スプーン、ブラシの使用
- コール（黒い粉）や緑色の粉でアイメイク。頬紅、口紅の使用

- 顔の手入れ、化粧、むだ毛の処理を行う
- 頬紅、口紅、白粉の使用
- ウエーブした髪にブロードを巻きつける
- キプロス・カールの使用
- ウエーブをつけた髪をシニヨンにする

- ブロンドが好まれ、染髪のほか、鬘も使用される
- ロバのミルク風呂が盛んに
- 貴婦人は美容専門の召使を置く

- 真珠の紐を使って髪をターバン状に結い上げる髪型が行われはじめる

### 日本

縄文時代／弥生時代／古墳時代／飛鳥時代

固有風俗時代／韓唐模倣時代

- 顔料を顔に塗る化粧、抜歯、入墨を行う
- 骨や歯、角、貝、硬玉などでつくった腕輪や耳飾り、首飾りなどの装身具の使用
- 木や竹、骨でつくった櫛や髪針（ピン）などの髪飾りの使用
- 男性は無冠でみずらに結ぶ。女性は垂髪
- 赤色顔料で化粧、入墨も行う
- ガラスや鉄、銅、貝でつくった装身具の使用

- 男性は垂髪か、みずら、女性は垂髪
- すべての男女が結髪するように命じられる
- 国産の白粉第一号、鉛粉（鉛白粉）の製造および使用

## 歴史全般

### 海外

- エジプト文明はじまる
- ファラオによる統一国家の誕生。ピラミッドの建設
- エーゲ文明
- ローマ建国
- クレオパトラによる統治
- キリスト教の誕生
- ローマ帝国の東西分裂
- 西ローマ帝国滅亡
- 隋が中国を統一
- 唐が中国を統一
- 唐の玄宗皇帝が即位

### 日本

- 狩猟・漁労・採集を主とした生活
- 農耕および金属器製造技術の伝来
- 卑弥呼、邪馬台国を治める
- 日本最初の統一政権、大和朝廷が誕生
- 倭王武が宋に使者を送る
- 仏教伝来
- 聖徳太子が憲法十七条を定める
- 大化の改新
- 都を平城京に移す

八〇〇
九〇〇
一〇〇〇
一一〇〇
一二〇〇
一三〇〇
一四〇〇
一五〇〇
一六〇〇

近世

ロマネスク

真ん中分けにして編み毛にする

オリエント文化の影響を受けて化粧がカラフルに。化粧品や香料の輸入も盛んに行われる

イギリスでは蒼白い顔が好まれ、白とグレーの白粉が用いられる

ゴシック

黒、金色、サフラン色に髪を染める

ルネサンス

エスコフィオン、エナンなどの被りものが用いられる

被りものは用いらず、髪を高くまとめ上げて黄色い布で飾りつけ、金の紐で押さえる髪型が流行

アティフェの使用およびアティフェ型の髪型がはじまる

つけぼくろの使用

髪粉で髪に着色

バロック

フランスで両サイドをくるくるとカールさせた、羊型の髪型（ア・ラ・ムトン）が広まる

フランスでフォンタンジュ風ヘアが流行

奈良時代

女性は髪上げをして大人になる儀式をする

平安時代
国風発達時代

お歯黒が行われる

女性は垂髪、成人女性は鬢そぎ

眉を抜いて、眉墨で別眉を描く

鎌倉時代

武家文化の時代へ。日常着は簡素に、軍装は華やかに

垂髪を結び、義毛を用いる

手ぬぐいのような布で頭を包み、正面で結ぶ桂包が行われる

室町時代

小袖が武家女性の礼装の主体となる。冬の礼装は、小袖の上に打掛を重ねるスタイル

武家社会の女性の装いは、公家社会女性の装いに比べて薄く、軽やかになる

安土桃山時代
国風全盛時代

女歌舞伎の誕生。遊女たちの間で唐輪髷が流行

江戸時代

鬢つけ油の一種、伽羅油が売り出される

勝山髷、島田髷、笄髷の流行

笄のデザインが多彩に

鼈甲の櫛をはじめ、飾りとして櫛を挿すことが流行

投げ島田、やつし島田、高島田が流行

唐が滅び、五代十国時代がはじまる

第一回十字軍遠征がはじまる

第二回十字軍遠征がはじまる

オスマントルコが起こる

百年戦争勃発

スペイン王国が成立

コロンブスがアメリカ大陸を発見

エリザベス一世即位

イギリスでピューリタン革命

イギリスで共和制はじまる

ルイ十四世フランスを統治

都を平安京に移す

遣唐使の廃止

鎌倉幕府はじまる

鎌倉幕府滅亡

室町幕府はじまる

室町幕府滅亡

関ヶ原の戦い

徳川家康が江戸幕府を開く

鎖国令発布

徳川綱吉が第五代将軍となる

## 西暦

一七〇〇

一八〇〇

## 美容文化史

### 海外

近世

ロココ

老若男女を問わず白髪が好まれ、真っ白い髪粉がつくられる

フランスでポンパドール風ヘアが流行

鬘を用い、髪の大きさを競い合うようになる

髪はいっそう高さを増し、造形的な装飾が施される

イギリスで髪粉が課税対象となる

断髪の時代へ

近代

ナポレオン時代

アポロ・ノットが流行

ビーダーマイヤー

イギリスでギリシャ風のスタイルが主流に。縦ロールが肩に垂れ下がる髪型が流行

ヴィクトリア時代

第2ロココ時代

ナポレオン三世がスペイン人のウージェニーと結婚。スペイン渡来のレースの髪飾りが流行

クリノリンの使用

ウォーター・フォール型の髪型が考案される

アクセサリーの大流行

バッスル・スタイルが主流に

### 日本

江戸時代

国風全盛時代

鬢差しで鬢をふくらませる燈籠鬢が起こる

丸髷が既婚女性の髪型の標準に

つぶし島田が大流行

大奥では結髪の要素の強い形に大垂髪が結われた

女髪結の禁令

飾り櫛や簪がいっそう多様化し、身分の違いなどによって使いわけられる

## 歴史全般

### 海外

オーストリアでマリア・テレジア即位

七年戦争勃発

アメリカ独立戦争勃発

ワシントンが初代アメリカ大統領に就任

フランス革命

ナポレオン軍がエジプト遠征

ナポレオン一世がフランス皇帝に即位

ナポレオン一世退位

フランスで七月革命

ナポレオン三世がフランス皇帝に即位

イタリア王国が成立

アメリカで奴隷解放宣言

### 日本

寛政の改革

ロシア使節団が長崎に来航

イギリス船が長崎、浦賀に来航

シーボルトが来日

外国船打払令発布

ペリーが浦賀に来航

日米修好通商条約締結

大政奉還。江戸幕府倒れる

明治維新

一九〇〇

現代

アール・ヌーボー
ベル・エポック

アイシャドーとマスカラの登場
ボンネットに代わって、シャポーが正装用の被りものとして用いられる
マーセル・ウエーブの普及
S字ラインルックが流行

ポンパドール風ヘアスタイルが流行
ネスラーがパーマネント・ウエーブを発明
パーマネント・ウエーブがフランスに広がる
ショート・カット（ダッチ・カット）が流行
シングルカットのボブが世界中に広がる
イートンクロップ（フランスではギャルソンヌと呼ぶ）が流行

明治時代

和洋混交時代

上流階級の女性は、バッスル・スタイルのドレスを着て、洋風にアレンジした束髪を結う
婦人束髪会が結成
パンフレット『様式婦人束髪法（附束髪図）』が出版
歌舞伎役者：中村福助が鉛白粉による鉛中毒で死亡
鹿鳴館で夜会巻きが流行

庇髪が流行
庇髪の一種、二百三高地型が流行
マガレイト、ローマなどの令嬢用髪型が流行
女優髷が結われる
女優髷の一種、耳かくしが流行
マーセル・ウエーブの技術が日本に到来
アイシャドーの流行
女性の断髪が流行
ボブ型、シングル型と呼ばれる断髪が流行

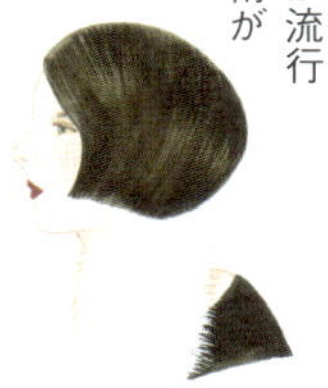

クロキノール式パーマネント機の輸入
国産パーマネント機の生産開始、パーマネントの普及拡大
警視庁よりパーマネント・ウエーブ自粛通告
鉄兜巻きという髪型が流行
コールド・ウエーブの時代へ
新日本髪が考案
日本人美容師の海外渡航が増加。海外の技術とスタイルの流入
プードル・カットの流行
真知子巻きの流行
イタリアン・ボーイ・カットの流行
カリプソ・メイクの流行

ドイツ帝国成立
イギリス領インド帝国成立
エジプトがイギリスの支配下に
ドイツ、オーストリア、イタリアが三国同盟を結ぶ
アテネで第一回国際オリンピック開催
アメリカのライト兄弟が飛行機を発明
第一次世界大戦勃発
ロシア革命
ベルサイユ条約締結
世界大恐慌
ドイツのヒットラーが首相に
第二次世界大戦勃発
ポツダム宣言受諾
第一回国連会議開催
イタリア共和国成立

上流階級の社交場、鹿鳴館開館
内閣制度の創設
大日本帝国憲法が発布
日清戦争はじまる
日露戦争はじまる
関東大震災
満州事変
二・二六事件
日中戦争勃発
太平洋戦争はじまる

〈参考文献〉
『西洋髪型図鑑』Richard Corson 著、藤田順子訳／女性モード社／一九七六年
『西洋化粧文化史』青木英夫著／一九七九年／源流社
『ヘアスタイルの歴史　5000年の美容とそのファッション』エリッヒ・ケルナー著／一九七二年／女性モード社
『THE COMPLETE COSTUME HISTRY／Vollstandige』Auguste Racinet 著／二〇一二年／Taschen America Llc
『ヨーロピアンコスチューム　4000年のファッション史』Doroen Yarwood 著、乾桂二訳／一九八二年／女性モード社
『西洋コスチューム大全』ジョン・ピーコック著／一九九四年／グラフィック社
『ヨーロッパの歴史』フレデリック・ドルーシュ総合編集、木村尚三郎監修、花上克己訳／一九九四年／東京書籍
『カラー版　世界服飾史』深井晃子監修／一九九八年／美術出版社
『歴史読本ワールド特別増刊号　世界の国王と皇帝たち』一九八六年／新人物往来社
『歴史読本ワールド特別増刊号　世界の女王たち』一九八八年／新人物往来社
『大英博物館　古代エジプト展2012』近藤二郎監修、朝日新聞社編集、近藤悠子訳／二〇一二年／朝日新聞社、NHK、NHKプロモーション
『服装史　中世編I』オーギュスト・ラシネ原著、マール社編／一九九五年／マール社
『華麗な革命　ロココと新古典の衣装展』展覧会図録　京都国立近代美術館、京都服飾文化研究財団／一九八九年／京都国立近代美術館
『ロココの落日　デュバリー伯爵夫人と王妃マリ・アントワネット』飯塚信雄著／一九八五年／文化出版局
『華麗なるハプスブルク家　5人の王妃の物語展』ヴィルフリート・ザイペル監修／一九九八年／TBS
『ファッション・プレート全集I　17〜18世紀 文化女子大学図書館所蔵版』石山彰著／一九八三年／文化出版局
『ファッション・プレート全集III　19世紀中期 文化女子大学図書館所蔵版』石山彰著／一九八三年／文化出版局
『ゴンクール兄弟の見た18世紀の女性』エドモン・ド・ゴンクール、ジュール・ド・ゴンクール著、鈴木豊訳／一九九四年／平凡社
『風俗史からベル・エポックの時代』青木英夫著／一九八九年／源流社
『風俗史からみた1，94〜50年代　混乱から平常への時代』青木英夫著／一九八八年／源流社
『風俗史からみた1960年代　スウィンギング・シックスティーズ』青木英夫著／一九九三年／源流社
『すぐわかるヨーロッパの宝飾芸術』山口遼著／二〇〇五年／東京美術
『ファッション・アイテム大図鑑』ジョン・ピーコック著／二〇〇〇年／グラフィック社
『シネアルバム12　グレタ・ガルボ　マレーネ・デートリッヒ　世紀の伝説　きらめく不滅の妖星』山田宏一責任編集／一九七三年／芳賀書店
『シネアルバム48　イングリッド・バーグマン』筈見有弘、福田千秋著／一九七七年／芳賀書店
『オードリー・スタイル』パメラ・クラーク・キオ著、笹野洋子訳／二〇〇〇年／講談社
『永遠のオードリー・ヘップバーン　おしゃれと栄華と愛と。』SPUR特別編集／一九九三年／集英社
『名画　絶世の美女』平松洋著／二〇一一年／新人物往来社
『風俗史からみた一九二〇年代　狂気と不安の時代』青木英夫著／一九八一年／源流社
『中国歴代婦女妝飾』周汛、高春明著／一九九七年／學林出版
DVD『西洋ヘアファッションの流れ』ポーラ文化研究所制作／一九八八年／ポーラ文化研究所
『メークアップの歴史－西洋化粧文化の流れ』リチャード・コーソン著、石山彰監修、ポーラ文化研究所訳／一九八二年／ポーラ文化研究所
『美容実務百科　美容の歴史』行人社編集制作／一九八三年／同朋舎出版
『日本の髪型と髪飾の歴史』橋本澄子著／一九九八年／源流社
『日本女装変遷史』上田貞緒編、吉川観方監修／一九八八年／装道出版局
『日本の髪型』京都美容文化クラブ編／二〇〇七年／京都美容文化クラブ
『化粧文化シリーズ　眉の文化史』津田紀代、村田孝子編著／一九八五年／ポーラ文化研究所
『カラー判　十二単のはなし　現代の皇室の装い』仙石

宗久著／一九九五年／オクターブ
『新版　かさねの色目－平安の配色美』長崎盛輝著／青幻舎／二〇〇六年
『日本の色辞典』吉岡幸雄著／二〇〇〇年／紫紅社
『日本の伝統色』マクレリーシー訳／二〇〇七年／ピエ・ブックス
『源氏物語の色辞典』吉岡幸雄著／二〇〇八年／紫紅社
『別冊太陽　日本のこころ60　源氏物語の色』清水好子、吉岡常雄監修／一九八八年／平凡社
『宮廷装飾に見る『源氏物語』の四季』有職文化研究所、風俗博物館編、仙石宗久監修／二〇〇二年／有職文化研究所
『天皇陛下御在位十年記念　宮廷の装束』京都国立博物館編／一九九九年／高倉文化研究所
『黒髪の文化史』大原梨恵子著／一九八八年／築地書館
『結うこころ　日本髪の美しさとその型』村田孝子編著／二〇〇〇年／ポーラ文化研究所
『ビジュアル日本史　ヒロイン1000人』安西篤子、小和田哲男、河合敦編著／二〇一一年／世界文化社
『ポーラ文化研究所コレクション2　日本の化粧－道具と心模様』ポーラ文化研究所編著／一九八九年／ポーラ文化研究所
『ポーラ文化研究所コレクション5　浮世絵美人くらべ』ポーラ文化研究所編著／二〇〇四年／ポーラ文化研究所
『NHK大河ドラマ・ストーリー　武田信玄』一九八八年／日本放送出版協会
『江戸のきものと衣生活』丸山伸彦編著／二〇〇七年／小学館
『週刊江戸29　吉綱と側用人』クロス中山慶子編／二〇一〇年／デアゴスティーニ・ジャパン
『浪漫衣装展』図録／一九八〇年／京都国立近代美術館
『風俗文化史選書3　洋髪の歴史』青木英夫著、日本風俗史学会編／一九七一年／雄山閣出版
『愛蔵版　幕末維新美人帖　明治・大正』ポーラ文化研究所編／二〇〇四年／ポーラ文化研究所
『日本のレトロ1920－1970スタイルブック』オリベ出版部編／一九八七年／織部企画
『別冊太陽　名女優　写真家・早田雄二の撮った〝永遠に輝く一瞬〟』別冊太陽編集部編／二〇〇〇年／平凡社
『別冊太陽　日本のこころ48　女優』山田宏一、山根貞男編／一九八四年／平凡社
『写真集　原節子』マガジンハウス編／一九九二年／マガジンハウス
DVD『日本の化粧』ポーラ文化研究所制作／一九九〇年／ポーラ文化研究所
DVD『眉化粧』ポーラ文化研究所制作／一九八〇年／ポーラ文化研究所
DVD『日本髪の結い方』ポーラ文化研究所制作／一九八〇年／ポーラ文化研究所
DVD『結う』ポーラ文化研究所制作／一九八〇年／ポーラ文化研究所
DVD『江戸の結髪』ポーラ文化研究所制作／一九八〇年／ポーラ文化研究所
DVD『おすべらかしと十二単』ポーラ文化研究所制作／一九八三年／ポーラ文化研究所

〈画像提供〉
Getty Images
WPS
The Lobkowicz Collections, Czech Republic
Robert-Schumann-Haus Zwickau
山口県光市教育委員会
『メイ牛山の世界』ジェニー牛山監修、メイ牛山著／二〇〇七年／学校法人メイ・ウシヤマ学園出版部

## 著者紹介

ジェニー牛山《うしやま》（Jenny Ushiyama）

昭和21年、長野県に生まれる。美容家メイ・ウシヤマの長女。

東洋英和女学院で小学部から短期大学まで学び、在学中は演劇部で活躍。ハリウッド高等美容学校卒業後、美容師免許取得。ハリウッドグループの美容学校、ビューティサロン、化粧品会社に勤務、グループの広報を担当。メイ・ウシヤマとともに、美容健康食研究をはじめ、さらに美容文化史、服飾文化史を研究、現在に至る。新聞、雑誌、テレビなど多方面からの取材、寄稿、講演とテレビ出演を行っている。

現在、学校法人メイ・ウシヤマ学園学園長・副理事長、ハリウッド美容専門大学校校長、ハリウッド大学院大学教授、美容文化研究所所長、ビューティビジネス学会理事、世界美容家協会（ICD）会員、日本風俗史学会会員。

専門：美容理論、美容文化論、服飾文化論、美容健康食

著書：『美・健・食入門』『元気がでる美健食』(日本教文社)、『ビューティブック』(グラフ社)、『毎日生きているのが楽しくてしょうがないわ』『牛山清人の世界』『プロフェッショナル エステティシャン テキストブック』(監修翻訳　ハリウッド大学院大学出版部)、『きれいは命の輝き』(メイ・ウシヤマ共著　グラフ社)、『ビューティライフシリーズ（全6巻）』(メイ牛山共著)、『病気知らずの食べ方があった』（文化創作出版)、『健康美人は食べ上手』(メイ牛山共著　徳間書店)、『ジェニー牛山先生の美と健康のレシピ』（講談社)、『花のように美しく明るく』(学研)



NDC 595　95 p　26 cm

**歴史《れきし》を織《お》りなす女性《じょせい》たちの美容文化史《びようぶんかし》**

2013年 8月20日　第1刷発行
2025年10月 1日　第6刷発行

著　者　ジェニー牛山《うしやま》
発行者　篠木和久
発行所　株式会社　講談社　KODANSHA
〒112-8001　東京都文京区音羽2-12-21
販　売　(03)5395-5817
業　務　(03)5395-3615

編　集　株式会社　講談社サイエンティフィク
代表　堀越俊一
〒162-0825　東京都新宿区神楽坂2-14　ノービィビル
編　集　(03)3235-3701

DTP　有限会社グランドグルーヴ
印刷所　株式会社双文社印刷
製本所　株式会社国宝社

落丁本・乱丁本は，購入書店名を明記のうえ，講談社業務宛にお送りください．送料小社負担にてお取替えします．なお，この本の内容についてのお問い合わせは講談社サイエンティフィク宛にお願いいたします．
定価はカバーに表示してあります．





Printed in Japan

ISBN978-4-06-153151-2